# NEVERJETNA KUHARSKA KNJIGA ZA PITE

100 SLANIH, ZELIŠČNIH, SADNIH IN ZAČIMBNIH PIT ZA PRIPRAVO DOMA

Peter Petek

# KAZALO

# UVOD

Od klasike, kot je jabolčna pita, do novih priljubljenih, kot je mocha svilena pita, na tem seznamu najboljših receptov za pite je nekaj za vsakogar. Obstajajo celo možnosti brez peke za tiste, ki niso navdušeni nad peko. Seveda lahko za mnoge od teh receptov izbirate med vtisnjeno piškotno skorjo, masleno skorjo za pito ali listnatim testom. In ko vse drugo odpove, samo vzemite skorjo, kupljeno v trgovini. Nič ni narobe z bližnjico, kupljeno v trgovini, in prihranila vam bo ogromno časa pri pripravi limonine meringue pite! Toda ne glede na to, kateri recept za pito boste izbrali, ne pozabite izlomiti kepic sladoleda ali stepene smetane za preliv!

# OSNOVNI RECEPTI

# 1. <u>Drobtine za pito</u>

NAREDI PRIBLIŽNO 350 G (2¾ SKODELICE)

**SESTAVINE:**

1. 240 g moke [1½ skodelice]
2. 18 g sladkorja [2 žlici]
3. 3 g košer soli [¾ čajne žličke]
4. 115 g masla, stopljenega [8 žlic (1 palčka)]
5. 20 g vode [1½ žlice]

**Navodila**

a) Pečico segrejte na 350°F.
b) Zmešajte moko, sladkor in sol v skledi stoječega mešalnika, opremljenega z nastavkom za lopatico, in mešajte pri nizki hitrosti, dokler se dobro ne premeša.
c) Dodajte maslo in vodo ter veslajte pri nizki hitrosti, dokler se mešanica ne začne združevati v majhne grozde.
d) Grozde razporedite po pekaču, obloženem s pergamentom ali Silpatom. Pečemo 25 minut in jih občasno prelomimo. Drobtine morajo biti zlato rjave in na dotik na tem mestu še rahlo vlažne; ko se ohladijo, se bodo posušile in strdile.
e) Pred uporabo naj se drobtine popolnoma ohladijo.

## 2. Glazura iz drobtin za pito

NAREDI PRIBLIŽNO 220 G (¾ SKODELICE) OZIROMA DOVOLJ ZA 2 JABOLČNA PITA V PLASTIH

**SESTAVINE:**

- ½ porcije Pie Crumb
- 110 g mleka [½ skodelice]
- 2 g košer soli [½ čajne žličke]
- 40 g masla, sobne temperature [3 žlice]
- 40 g slaščičarskega sladkorja [¼ skodelice]

**Navodila**

a) V mešalniku zmešajte drobtine za pito, mleko in sol, nastavite hitrost na srednje visoko in pretlačite v gladek in homogen pire. Trajalo bo od 1 do 3 minute (odvisno od odličnosti vašega mešalnika). Če se mešanica ne ujame na rezilo mešalnika, izklopite mešalnik, vzemite majhno čajno žličko in postrgajte po straneh posode, ne pozabite strgati pod rezilom, nato poskusite znova.

b) Zmešajte maslo in slaščičarski sladkor v skledi stoječega mešalnika, opremljenega z nastavkom za lopatico, in smetano skupaj na srednji visoki temperaturi 2 do 3 minute, dokler ne postane puhasto in bledo rumeno. Z lopatko postrgajte po stenah sklede.

c) Pri nizki hitrosti vmešajte vsebino mešalnika. Po 1 minuti povečajte hitrost na srednje visoko in pustite, da se strga še 2 minuti. Postrgajte po stenah sklede. Če zmes ni enakomerne, zelo blede, komaj porjavele barve, posodo še enkrat postrgajte navzdol in še eno minuto veslajte pri visoki hitrosti.

d) Glazuro uporabite takoj ali jo shranite v nepredušni posodi v hladilniku do 1 tedna.

## 3. Čokoladna skorjica

NAREDI 1 (10-PALČNO) SKORIJO ZA PITO

**SESTAVINE:**

- ¾ porcije čokoladnih mrvic [260 g (1¾ skodelice)]
- 8 g sladkorja [2 čajni žlički]
- 0,5 g košer soli [⅛ čajne žličke]
- 14 g masla, stopljenega ali po potrebi [1 žlica]

**Navodila**

a) Čokoladne drobtine pretlačite v kuhinjskem robotu, dokler niso peščene in ne ostanejo večji grozdi.

b) Prenesite pesek v skledo in ga z rokami premešajte s sladkorjem in soljo. Dodajte stopljeno maslo in ga gnetite v pesek, dokler ni dovolj vlažen, da ga lahko zgnetete v kroglo. Če ni dovolj vlažno, stopite dodatnih 14 g (1 žlica) masla in ga vgnetite.

c) Mešanico prenesite v 10-palčni model za pite. Čokoladno skorjico s prsti in dlanmi močno vtisnite v model, pri čemer pazite, da so dno in stranice modela za pite enakomerno prekrite. Skorjo, zavito v plastično folijo, lahko shranite pri sobni temperaturi do 5 dni ali v hladilniku 2 tedna.

# 4. Skorja za pito z nizko vsebnostjo maščob

## SESTAVINE:

- ⅓ skodelice (80 ml) olja oljne repice
- 1⅓ skodelice (160 g) moke
- 2 žlici (30 ml) hladne vode

## Navodila

a) Moki dodamo olje in dobro premešamo z vilicami. Poškropite z vodo in dobro premešajte. Z rokami stisnite testo v kepo in sploščite. Zavijte med dvema kosoma povoščenega papirja.

b) Odstranite zgornji kos povoščenega papirja, obrnite čez krožnik za pite in odstranite drugi kos povoščenega papirja. Pritisnite na mesto.

c) Za pite, ki ne potrebujejo pečenega nadeva, pecite pri 400 °F (200 °C ali plinska oznaka 6) 12 do 15 minut ali dokler rahlo ne porjavijo.

## 5. Grahamova skorja

NAREDI PRIBLIŽNO 340 G (2 SKODELICI)

**SESTAVINE:**
- 190 g drobtin graham krekerja 1½ skodelice]
- 20 g mleka v prahu [¼ skodelice]
- 25 g sladkorja [2 žlici]
- 3 g košer soli [¾ čajne žličke]
- 55 g masla, stopljenega ali po potrebi [4 žlice (½ palčke)]
- 55 g težke smetane [¼ skodelice]

**Navodila**

a) Grahamove drobtine, mleko v prahu, sladkor in sol z rokami stresite v srednje veliko skledo, da enakomerno porazdelite suhe sestavine.

b) Penasto stepemo maslo in smetano.

c) Dodajte suhim sestavinam in ponovno premešajte, da se enakomerno porazdelijo.

d) Maslo bo delovalo kot lepilo, ki se bo oprijelo suhih sestavin in mešanico spremenilo v kup majhnih grozdov. Zmes naj obdrži obliko, če jo močno stisnemo v dlani. Če ni dovolj vlažno, stopite dodatnih 14 do 25 g (1 do 1½ žlice) masla in ga primešajte.

# 6. Matično testo

NAREDI PRIBLIŽNO 850 G (2 FUNTA)

**SESTAVINE:**
- 550 g moke [3½ skodelice]
- 12 g košer soli [1 žlica]
- 3,5 g aktivnega suhega kvasa [½ zavitka ali 1⅛ čajne žličke]
- 370 g vode pri sobni temperaturi [1¾ skodelice]

**Navodila**
a) Zmešajte, da dobite testo

# KREMNE PITE

# 7. Mini jagodne in kremne pite

Naredi: 2 obroka

**SESTAVINE:**
- 3 žlice smetane, težke
- 1 beljak, za ščetkanje
- 1 testo za pito
- 2 žlici mandljev
- 1 skodelica narezanih jagod

**NAVODILA:**
a) Testo sploščite in ga narežite na 3-palčne kroge.
b) Na sredino testa razporedite jagode, mandlje in smetano.
c) Robove premažite z beljakom in nanj položite drugo testo.
d) Z vilicami stisnite robove.
e) Cvremo na zraku pri 360 stopinjah 10 minut.

# 8. Čokoladna kremna pita

Naredi: 7 obrokov

**SESTAVINE:**
**PEKAN SKORJA ZA PITO (NAREDI 1 SKORIJO ZA PITO):**
- 1 skodelica večnamenske moke
- 1 skodelica drobno sesekljanih pekanov
- 4 unče stopljenega masla

**KRAJŠNI NADEV (ZA 1 NADEV ZA PITO):**
- 1 skodelica polnomastnega mleka
- 1 skodelica pol-pol
- 1 skodelica granuliranega sladkorja
- ¼ skodelice koruznega škroba
- 3 rumenjaki
- 1 celo jajce
- 1 skodelica Ghirardelli 60% kakavovih čokoladnih koščkov
- 1 žlica vanilijevega ekstrakta

**NADEV IZ KREMNEGA SIRA:**
- 1 skodelica težke smetane za stepanje
- 8 unč kremnega sira
- 1 skodelica sladkorja v prahu

**STEPEN PRELIV:**
- 2 skodelici težke smetane za stepanje
- ½ skodelice sladkorja v prahu

**SESTAVLJANJE:**
- Pripravljena in ohlajena skorja za pito
- ¾ skodelice nadeva iz kremnega sira
- Pripravljena in ohlajena krema
- Stepen preliv
- Približno 2 žlici sesekljanih 60% kakavovih čokoladnih kosmičev Ghirardelli

**NAVODILA:**
**ZA PEKAN PITO SKORIJO**
a) Vse sestavine zmešajte z rokami.
b) Pritisnite v pekač za pito z 9-palčno steno. Prepričajte se, da enakomerno pritiskate po krožniku za pito, pri čemer bodite še

posebej pozorni na debelino vogalov. Ne sme biti nobenih razpok.

c) Pecite skorjo pri 375 stopinjah približno 15 minut in preverite pripravljenost po 10 minutah.

d) Hladite na rešetki za peko vsaj 45 minut.

**ZA KRAJŠNI NADEV**

e) Z loncem zmešajte mleko in pol-pol. Segrevajte pri nizki temperaturi, dokler se ne segreje, pri čemer pazite, da mleka ne poparite.

f) V ločeni skledi zmešajte sladkor in koruzni škrob. Ko se združi, dodajte rumenjake in celo jajce v mešanico koruznega škroba.

g) Segreto mešanico mleka/pol in pol vmešamo v jajčno zmes.

h) vlijemo združene **SESTAVINE:** in vrnemo na ogenj ob srednjem mešanju ves čas. NE odidite – stepajte še naprej.

i) Ko se zmes zgosti do konsistence pudinga, jo odstavimo z ognja. Nazadnje dodajte vanilijo.

j) Čokoladne koščke dajte v 2-litrsko posodo. Segrevajte v mikrovalovni pečici v 30-sekundnih intervalih in vmes mešajte, dokler se ne stopi. V kremo dodajte stopljeno čokolado, dokler se dobro ne premeša.

k) Pokrijte s plastično folijo, da preprečite nastanek kože. Hladite vsaj 45 minut, dokler se ne ohladi.

**NADEV IZ KREMNEGA SIRA:**

l) S stojnim mešalnikom stepemo smetano do trdih vrhov. Dati na stran.

m) S stojnim mešalnikom mešajte kremni sir, dokler se ne zmehča. Kremnemu siru postopoma dodajajte sladkor v prahu in mešajte do gladkega.

n) Dodajte stepeno smetano mešanici kremnega sira. Mešajte, dokler se dobro ne poveže.

**STEPEN PRELIV:**

o) S stojnim mešalnikom stepite močno smetano do srednjih vrhov.

p) Dodajte sladkor in nadaljujte s stepanjem, dokler ne nastanejo čvrsti vrhovi. NE pretepajte.

**SESTAVLJANJE:**

q) Nadev iz kremnega sira enakomerno razporedite po dnu skorje za pito.
r) Kremni nadev prekrijemo s pripravljenim in ohlajenim kremnim nadevom.
s) Pito premažemo s stepenim prelivom.
t) Potresemo s koščki sesekljane čokolade.

## 9. Bananina kremna pita

Naredi: 7 obrokov

**SESTAVINE:**
**PEKAN SKORJA ZA PITO (NAREDI 1 SKORIJO ZA PITO):**
- 1 skodelica večnamenske moke
- 1 skodelica drobno sesekljanih pekanov
- 4 unče stopljenega masla

**KRAJŠNI NADEV (ZA 1 NADEV ZA PITO):**
- 1 skodelica polnomastnega mleka
- 1 skodelica pol-pol
- 1 skodelica granuliranega sladkorja
- ¼ skodelice koruznega škroba
- 3 rumenjaki
- 1 celo jajce
- 1 žlica vanilijevega ekstrakta

**NADEV IZ KREMNEGA SIRA:**
- 1 skodelica težke smetane za stepanje
- 8 unč kremnega sira
- 1 skodelica sladkorja v prahu

**STEPEN PRELIV:**
- 2 skodelici težke smetane za stepanje
- ½ skodelice sladkorja v prahu

**SESTAVLJANJE:**
- Pripravljena in ohlajena skorja za pito
- ¾ skodelice nadeva iz kremnega sira
- 2 na rezine narezani banani
- Pripravljena in ohlajena krema
- Stepen preliv
- Približno 2 žlici sesekljanih pekan orehov

**NAVODILA:**
**PEKAN SKORJA ZA PITO:**
a) Vse sestavine zmešajte z rokami.
b) Pritisnite v pekač za pito z 9-palčno steno. Prepričajte se, da enakomerno pritiskate po krožniku za pito, pri čemer bodite še

posebej pozorni na debelino vogalov. Ne sme biti nobenih razpok.

c) Pecite skorjo pri 375 stopinjah približno 15 minut in preverite pripravljenost po 10 minutah.

d) Hladite na rešetki za peko vsaj 45 minut.

**NADEV KREMINE:**

e) Z loncem zmešajte mleko in pol-pol. Segrevajte pri nizki temperaturi, dokler se ne segreje, pri čemer pazite, da mleka ne poparite.

f) V ločeni skledi zmešajte sladkor in koruzni škrob. Ko se združi, dodajte rumenjake in celo jajce v mešanico koruznega škroba.

g) Segreto mešanico mleka/pol in pol vmešamo v jajčno zmes.

h) vlijemo združene **SESTAVINE:** in vrnemo na ogenj ob srednjem mešanju ves čas. NE odidite – stepajte še naprej.

i) Ko se zmes zgosti do konsistence pudinga, jo odstavimo z ognja. Nazadnje dodajte vanilijo.

j) Pokrijte s plastično folijo, da preprečite nastanek kože. Hladite vsaj 45 minut, dokler se ne ohladi.

**NADEV IZ KREMNEGA SIRA:**

k) S stojnim mešalnikom stepemo smetano do trdih vrhov. Dati na stran.

l) S stojnim mešalnikom mešajte kremni sir, dokler se ne zmehča. Kremnemu siru postopoma dodajajte sladkor v prahu in mešajte do gladkega.

m) Dodajte stepeno smetano mešanici kremnega sira. Mešajte, dokler se dobro ne poveže.

**STEPEN PRELIV:**

n) S stojnim mešalnikom stepite močno smetano do srednjih vrhov.

o) Dodajte sladkor in nadaljujte s stepanjem, dokler ne nastanejo čvrsti vrhovi. NE pretepajte.

**SESTAVLJANJE:**

p) Nadev iz kremnega sira enakomerno razporedite po dnu skorje za pito.

q) Poševno prerezane banane položite na nadev iz kremnega sira.

r) Banane premažemo s pripravljenim in ohlajenim kremnim nadevom.

s) Pito pokrijte s stepenim prelivom in sesekljanimi pekani.

## 10. <u>Žitno mlečna sladoledna pita</u>

# NAREDI 1 (10-PALČNO) PITO; SLUŽBA 8 DO 10

**SESTAVINE:**
- ½ porcije koruznih kosmičev [180 g (2 skodelici)]
- 25 g masla, stopljenega [2 žlici]
- 1 porcija žitnega mlečnega sladoleda

**Navodila**
a) Z rokami zdrobite hrustljave grozde koruznih kosmičev na polovico velikosti.
b) Stopljeno maslo stresite v hrustljavo zdrobljene koruzne kosmiče in dobro premešajte. S prsti in dlanmi trdno vtisnite zmes v 10-palčni model za pite, pri čemer pazite, da so dno in stranice modela za pite enakomerno prekrite. Zavito v plastiko lahko skorjo zamrznete do 2 tedna.
c) Z lopatko razporedite sladoled v lupino pite. Zamrznite pito za vsaj 3 ure ali dokler sladoled ni dovolj močno zamrznjen, da je pito enostavno rezati in postreči. Zavita v plastično folijo bo pita zdržala 2 tedna v zamrzovalniku.

## 11.  <u>PB in J pita</u>

# NAREDI 1 (10-PALČNO) PITO; SLUŽBA 8 DO 10

**SESTAVINE:**
- 1 porcija nepečenega Ritz Cruncha
- 1 porcija nugata iz arašidovega masla
- 1 porcija grozdnega sorbeta Concord
- ½ porcije grozdne omake Concord

**Navodila**

a) Pečico segrejte na 275°F.

b) Stisnite Ritz crunch v 10-palčni model za pite. S prsti in dlanmi močno pritisnite hrustljavo navznoter, pri čemer pazite, da enakomerno in v celoti pokrijete dno in stranice.

c) Pekač položite na pekač in pecite 20 minut. Ritzova skorja mora biti nekoliko bolj zlato rjava in nekoliko bolj maslena kot hrustljava, s katero ste začeli. Ritz hrustljavo skorjo popolnoma ohladite; zavito v plastiko lahko skorjo zamrznete do 2 tedna.

d) Nugat iz arašidovega masla raztresite po dnu skorje za pito in ga nato nežno pritisnite navzdol, da nastane ravna plast. To plast zamrznite za 30 minut ali dokler ni hladna in čvrsta. Zajemajte sorbet na nugat in ga razporedite v enakomerno plast. Pito postavite v zamrzovalnik, dokler se sorbet ne strdi, od 30 minut do 1 ure.

e) Grozdno omako Concord nanesite na vrh pite in jo hitro enakomerno razporedite po sorbetu.

f) Pito postavite nazaj v zamrzovalnik, dokler ni pripravljena za rezanje in serviranje. (Nežno) zavito v plastiko lahko pito zamrznete do 1 meseca.

## 12.   Bananina kremna pita

# NAREDI 1 (10-PALČNO) PITO; SLUŽBA 8 DO 10

## SESTAVINE:
- 1 porcija bananine kreme
- 1 porcija čokoladne skorjice
- 1 banana, pravkar zrela, narezana

**bananina krema**
- 225 g banan
- 75 g težke smetane [⅓ skodelice]
- 55 g mleka [¼ skodelice]
- 100 g sladkorja [½ skodelice]
- 25 g koruznega škroba [2 žlici]
- 2 g košer soli [½ čajne žličke]
- 3 rumenjaki
- 2 lističa želatine
- 40 g masla [3 žlice]
- 25 kapljic rumene jedilne barve [½ čajne žličke]
- 160 g smetane [¾ skodelice]
- 160 g slaščičarskega sladkorja [1 skodelica]

## Navodila

a) Polovico bananine kreme vlijemo v lupino za pito. Obložimo ga s plastjo narezanih banan, nato pa banane premažemo s preostalo bananino kremo. Pito hranite v hladilniku in jo pojejte v enem dnevu po pripravi.

b) Banane, smetano in mleko zmešajte v mešalniku in pretlačite v pire, dokler ni popolnoma gladka.

c) Dodajte sladkor, koruzni škrob, sol in rumenjake ter nadaljujte z mešanjem, dokler ni homogena. Mešanico vlijemo v srednje veliko ponev. Očistite posodo mešalnika.

d) Prelijte želatino.

e) Vsebino ponve stepemo in segrevamo na srednje nizkem ognju. Ko se bananina mešanica segreje, se bo zgostila. Zavremo in nato še naprej močno mešamo 2 minuti, da se škrob popolnoma skuha. Mešanica bo podobna gostemu lepilu, ki meji na cement, z ustrezno barvo.

f)  Vsebino ponve stresite v mešalnik. Dodajte nacveteno želatino in maslo ter mešajte, dokler zmes ni gladka in enakomerna. Mešanico obarvajte z rumeno barvo za živila, dokler ne postane svetlo bananasto rumena.

g)  Bananino mešanico prenesite v toplotno varno posodo in postavite v hladilnik za 30 do 60 minut – toliko časa, da se popolnoma ohladi.

h)  Z metlico ali mešalnikom z nastavkom za stepanje stepemo smetano in slaščičarski sladkor do srednje mehkih konic.

i)  Hladno mešanico banan dodamo k stepeni smetani in počasi stepamo, da postane enakomerno obarvana in homogena. Bananina krema, shranjena v npredušni posodi, ostane sveža do 5 dni v hladilniku.

## 13. **Brownie pita**

NAREDI 1 (10-PALČNO) PITO; SLUŽBA 8 DO 10

**SESTAVINE:**
- ¾ porcije Graham Crust [255 g (1½ skodelice)]
- 125 g 72 % čokolade [4½ unče]
- 85 g masla [6 žlic]
- 2 jajci
- 150 g sladkorja [¾ skodelice]
- 40 g moke [¼ skodelice]
- 25 g kakava v prahu
- 2 g košer soli [½ čajne žličke]
- 110 g smetane [½ skodelice]

**Navodila**

a) Pečico segrejte na 350°F.

b) 210 g (1¼ skodelice) grahamove skorje stresite v 10-palčni model za pite in odložite preostalih 45 g (¼ skodelice) na stran. S prsti in dlanmi skorjo močno vtisnemo v model za pite, tako da popolnoma prekrijemo dno in stranice pekača. Skorjo, zavito v plastiko, lahko hranite v hladilniku ali zamrznete do 2 tedna.

c) Zmešajte čokolado in maslo v posodi, primerni za uporabo v mikrovalovni pečici, in ju nežno stopite skupaj na nizki temperaturi 30 do 50 sekund. Zmešajte jih s toplotno odporno lopatico in delajte, dokler zmes ni sijoča in gladka.

d) Zmešajte jajca in sladkor v skledi stojnega mešalnika, opremljenega z nastavkom za stepanje, in stepajte skupaj pri visoki moči 3 do 4 minute, dokler zmes ne postane puhasta in bledo rumena ter doseže stanje traku. (Odstranite metlico, jo pomočite v stepena jajca in mahajte naprej in nazaj kot nihalo: mešanica mora tvoriti zgoščen, svilnat trak, ki pada in nato izgine v testo.) Če mešanica ne oblikuje trakov, nadaljujte s stepanjem pri visoki moči, kot je potrebno.

e) Zamenjajte metlico z nastavkom za metlico. Čokoladno zmes stresite v jajca in na kratko premešajte na nizki temperaturi, nato povečajte hitrost na srednjo in zmes mešajte 1 minuto ali dokler ni rjava in popolnoma homogena. Če so na čokoladi temne črte, potegnite nekaj sekund dlje ali po potrebi. Postrgajte po stenah sklede.

f) Dodajte moko, kakav v prahu in sol ter veslajte pri nizki hitrosti 45 do 60 sekund. Ne sme biti grudic suhih sestavin. Če so grudice, mešajte še dodatnih 30 sekund. Postrgajte po stenah sklede.

g) Pri nizki hitrosti vlijte gosto smetano in mešajte 30 do 45 sekund, dokler se testo nekoliko ne zrahlja in se bele proge smetane popolnoma vmešajo. Postrgajte po stenah sklede.

h) Odstranite lopatico in odstranite posodo iz mešalnika. Z lopatko nežno zložite 45 g (¼ skodelice) grahamove skorje.

i) Vzemite pekač in nanj položite pekač za pito z grahamovo skorjo. Z lopatko strgajte maso za brownije v grahamovo lupino. Pečemo 25 minut. Pita mora ob straneh rahlo napihniti in na vrhu razviti sladko skorjo. Če je brownie pita v sredini še vedno tekoča in se ni naredila skorjica, jo pecite še približno 5 minut.

j) Pito ohladite na rešetki. (Postopek hlajenja lahko pospešite tako, da pito previdno prestavite v hladilnik ali zamrzovalnik neposredno iz pečice, če se vam mudi.) Zavita v plastiko bo pita ostala sveža v hladilniku do 1 teden ali v zamrzovalniku do 2 tedna.

## 14. Kobilica pita

NAREDI 1 (10-PALČNO) PITO; SLUŽBA 8 DO 10

## SESTAVINE:
- 1 porcija Brownie pite, pripravljene v koraku 8
- 1 porcija nadeva za metin sir
- 20 g mini čokoladnih koščkov [2 žlici]
- 25 g mini marshmallows [½ skodelice]
- 1 porcija tople metine glazure

### Navodila
a) Pečico segrejte na 350°F.
b) Vzemite pekač in nanj položite pekač za pito z grahamovo skorjo. V lupino vlijemo nadev za metin cheesecake. Nanj vlijemo testo za brownije. S konico noža vrtite testo in metin nadev, tako da dražite proge metinega nadeva, da se vidijo skozi testo za brownije.
c) Mini čokoladne koščke stresite v majhen obroček na sredini pite, tako da središče v obliki bikovega očesa ostane prazno. Mini marshmallowe nabrizgajte v obroč okoli obroča čokoladnih koščkov.
d) Pito pečemo 25 minut. Na robovih mora biti rahlo napihnjen, a v sredini še vedno majav. Mini čokoladni koščki bodo videti, kot da se bodo začeli topiti, mini marshmallows pa morajo biti enakomerno zapečeni. Če temu ni tako, pustite pito v pečici še 3 do 4 minute.
e) Pito popolnoma ohladite, preden jo končate.
f) Prepričajte se, da je vaša glazura še topla na dotik. Potopite konice vilic v toplo glazuro, nato pa vilice obesite približno 1 cm nad središčem pite.
g) Pito prenesite v hladilnik, da se metina glazura strdi, preden jo postrežete – kar se bo zgodilo takoj, ko bo hladna, približno 15 minut. Zavita v plastiko bo pita sveža v hladilniku do 1 tedna ali v zamrzovalniku do 2 tedna.

## 15. <u>Blondie pita</u>

NAREDI 1 (10-PALČNO) PITO; SLUŽBA 8 DO 10

**SESTAVINE:**
- ¾ porcije Graham Crust
- [255 g (1½ skodelice)]
- 1 porcija nadeva Blondie Pie
- 1 porcija praline iz indijskih oreščkov

**ZA POLNILO**
- 160 g bele čokolade [5½ unč]
- 55 g masla [4 žlice (½ palčke)]
- 2 rumenjaka
- 40 g sladkorja [3 žlice]
- 105 g smetane [½ skodelice]
- 52 g moke [⅓ skodelice]
- ½ porcije krhkih indijskih oreščkov
- 4 g košer soli [1 čajna žlička]

**Navodila**

a) Zmešajte belo čokolado in maslo v posodi, ki je primerna za uporabo v mikrovalovni pečici, in ju nežno stopite na srednji stopnji v korakih po 30 sekund, med pihanji pa mešajte. Ko se stopi, mešanico stepajte, dokler ni gladka.

b) Rumenjake in sladkor damo v srednje veliko skledo in skupaj stepamo do gladkega. Vlijemo mešanico bele čokolade in z metlico premešamo. Počasi vlijemo v gosto smetano in stepamo, da se združi.

c) V majhni skledi zmešajte moko, krhke indijske oreščke in sol, nato pa jih previdno vmešajte v nadev. Uporabite takoj ali shranite v nepredušni posodi v hladilniku do 2 tedna.

**ZA POLNILO**

d) Pečico segrejte na 325°F.

e) Grahamovo skorjo stresite v 10-palčni pekač za pite. S prsti in dlanmi močno vtisnite skorjo v model za pite, tako da enakomerno pokrijete dno in stranice. Odstavite, medtem ko delate nadev. Skorjo, zavito v plastiko, lahko hranite v hladilniku ali zamrznete do 2 tedna.

f) Pekač za pito postavite na pekač in vanj vlijte nadev za blondie pito. Pito pečemo 30 minut. Rahlo se bo strdil na sredini in potemnil. Če temu ni tako, dodajte 3 do 5 minut. Ohladimo na sobno temperaturo.

g) Tik preden postrežemo, vrh pite obložimo s praline iz indijskih oreščkov.

## 16. Sladkorna pita

NAREDI 1 (10-PALČNO) PITO; SLUŽBE 8

**SESTAVINE:**
- 1 porcija slane karamele, stopljene
- 1 porcija čokoladne skorje, ohlajena
- 8 mini preste
- 1 porcija nugata iz arašidovega masla
- 45 g 55% čokolade [1½ unče]
- 45 g bele čokolade [1½ unče]
- 20 g olja grozdnih pečk [2 žlici]

**Navodila**

a) Slano karamelo vlijemo v skorjo. Vrnite v hladilnik, da se strdi za vsaj 4 ure, lahko tudi čez noč.

b) Pečico segrejte na 300°F.

c) Preste razporedite po pekaču in jih pražite 20 minut. Odstavimo, da se ohladi.

d) Vzemite pito iz hladilnika in prekrijte stran strjene karamele z nugatom. Z dlanmi pritisnite in zgladite nugat v enakomerno plast. Pito vrnite v hladilnik in pustite, da se nugat strdi 1 uro.

e) Naredite čokoladno glazuro tako, da v posodi, ki je primerna za mikrovalovno pečico, združite čokolade in olje ter ju nežno stopite na srednjem mediju v korakih po 30 sekund, med pihanji pa mešajte. Ko je čokolada stopljena, mešanico mešajte, dokler ni gladka in sijoča. Glazuro uporabite še isti dan ali pa jo hranite v nepredušni posodi pri sobni temperaturi do 3 tedne.

f) Dokončajte to pito: vzemite jo iz hladilnika in s čopičem za pecivo nanesite tanko plast čokoladne glazure na nougat, tako da jo popolnoma prekrijete. (Če se je glazura strdila, jo rahlo segrejte, da boste lahko barvali po piti.) Preste enakomerno razporedite po robovih pite. S slaščičarskim čopičem preostanek čokoladne glazure v tankem sloju nanesite na preste, da zapečatite njihovo svežino in okus.

g) Pito za vsaj 15 minut postavimo v hladilnik, da se čokolada strdi. Zavita v plastiko bo pita ostala sveža v hladilniku 3 tedne ali v zamrzovalniku do 2 meseca; pred serviranjem odmrznite.

a) Pito razrežite na 8 rezin, pri tem pa uporabite preste kot vodilo: na vsaki rezini mora biti cela presta.

## 17.  Limonina meringue-pistacijeva pita

NAREDI 1 (10-PALČNO) PITO; SLUŽBA 8 DO 10

**SESTAVINE:**

- 1 porcija Pistachio Crunch
- 15 g bele čokolade, stopljene [½ unče]
- ¼ porcije Lemon Curd [305 g (1⅓ skodelice)]
- 200 g sladkorja [1 skodelica]
- 100 g vode [½ skodelice]
- 3 beljaki
- ⅓ porcije Lemon Curd [155 g (¼ skodelice)]

**Navodila**

a) Pistacijevo hrustljavo prelijte v 10-palčni pekač za pite. S prsti in dlanmi hrustljavo trdno pritisnite v model za pite, pri čemer pazite, da so dno in stranice enakomerno prekrite. Odstavite, medtem ko naredite nadev; zavito v plastiko lahko skorjo hranite v hladilniku do 2 tedna.

b) S čopičem za pecivo nanesite tanko plast bele čokolade na dno in zgornje stranice skorje. Skorjo damo za 10 minut v zamrzovalnik, da se čokolada strdi.

c) V manjšo skledo dajte 305 g (1⅓ skodelice) limonine skute in premešajte, da se nekoliko zrahlja. Lemon curd strgajte v skorjico in ga s hrbtno stranjo žlice ali lopatice razporedite v enakomerno plast. Pito postavite v zamrzovalnik za približno 10 minut, da se plast limonine skute strdi.

d) Medtem zmešajte sladkor in vodo v majhni ponvi z težkim dnom in nežno stresite sladkor v vodo, dokler ne postane kot moker pesek. Ponev postavite na srednji ogenj in mešanico segrejte na 115 °C (239 °F), pri čemer spremljajte temperaturo s termometrom za takojšnje odčitavanje ali termometrom za sladkarije.

e) Medtem ko se sladkor segreva, v posodo stoječega mešalnika damo beljake in jih z nastavkom za stepanje začnemo stepati v srednje mehke snegove.

f) Ko se sladkorni sirup segreje na 115 °C (239 °F), ga odstavite z ognja in zelo previdno vlijte v stepene beljake, pri tem pa se izogibajte metlici: preden to storite, mešalnik znižajte na zelo

nizko hitrost, razen če želite na obrazu videti zanimive opekline
.

g) Ko je ves sladkor uspešno dodan beljakom, ponovno povečajte hitrost mešalnika in pustite, da se meringue stepa, dokler se ne ohladi na sobno temperaturo.

h) Medtem ko se meringue stepa, dajte 155 g (¼ skodelice) limonine skute v veliko skledo in z lopatko premešajte, da se nekoliko zrahlja.

i) Ko se meringue ohladi na sobno temperaturo, izklopite mikser, odstranite posodo in meringue z lopatko vmešajte v limonino skuto, dokler ne ostane več belih lis, pri tem pa pazite, da se meringa ne izprazni.

j) Odstranite pito iz zamrzovalnika in na limonino skuto nanesite limonino meringo. Z žlico razporedite meringo v enakomerno plast, ki popolnoma prekrije limonino skuto.

k) Postrezite ali pito do uporabe shranite v zamrzovalnik. Tesno zavit v plastično folijo, ko je trdo zamrznjen, bo v zamrzovalniku zdržal do 3 tedne. Pustite, da se pita čez noč odtaja v hladilniku ali vsaj 3 ure na sobni temperaturi, preden jo postrežete.

## 18.  Krek pita

NAREDI 2 (10-CALČNE) PITE; VSAK SLUŽI 8 DO 10

**SESTAVINE:**

- 1 porcija ovsenega piškota
- 15 g svetlo rjavega sladkorja [1 žlica tesno pakirane]
- 1 g soli [¼ čajne žličke]
- 55 g masla, stopljenega ali po potrebi [4 žlice (½ palčke)]
- 1 porcija nadeva za pito Crack
- slaščičarski sladkor, za posipanje

**ZA POLNILO**

- 300 g granuliranega sladkorja [1½ skodelice]
- 180 g svetlo rjavega sladkorja [¾ skodelice tesno pakirane]
- 20 g mleka v prahu [¼ skodelice]
- 24 g koruze v prahu [¼ skodelice]
- 6 g košer soli [1½ čajne žličke]
- 225 g masla, stopljenega [16 žlic (2 palčki)]
- 160 g smetane [¾ skodelice]
- 2 g vanilijevega ekstrakta [½ čajne žličke]
- 8 rumenjakov

**Navodila**

a) Pečico segrejte na 350°F.

b) Ovseni piškotek, rjavi sladkor in sol dajte v kuhinjski robot in ga vklopite in izklopite, dokler piškotek ne razpade v moker pesek. (Če nimate kuhinjskega robota, ga lahko ponarejate, dokler ne pripravite in ovsenega piškota pridno zdrobite z rokami.)

c) Drobtine prenesite v skledo, dodajte maslo in gnetite mešanico masla in mletih piškotov, dokler niso dovolj vlažne, da se oblikujejo v kroglo. Če ni dovolj vlažno, raztopite dodatnih 14 do 25 g (1 do 1½ žlice) masla in ga vgnetite.

d) Ovseno skorjo enakomerno razdelite med 2 (10-palčna) modela za pite. S prsti in dlanmi trdno vtisnite skorjo ovsenih piškotov v vsak model za pite, pri čemer pazite, da so dno in stranice modela enakomerno prekrite. Lupine za pite uporabite takoj ali jih dobro zavijte v plastiko in shranite pri sobni temperaturi do 5 dni ali v hladilniku do 2 tedna.

e) Obe lupini za pito položite na pekač. Nadev za crack pito enakomerno porazdelite med skorje; nadev naj jih napolni do treh četrtin. Pečemo samo 15 minut. Pite morajo biti na vrhu zlato rjave, vendar bodo še vedno zelo tresljive.

f) Odprite vrata pečice in znižajte temperaturo pečice na 325°F. Odvisno od vaše pečice lahko traja 5 minut ali več, da se pečica ohladi na novo temperaturo. Med tem postopkom naj bodo pite v pečici. Ko pečica doseže 325°F, zaprite vrata in pecite pite 5 minut dlje. Pite bi morale biti še vedno majave v središču, ne pa okoli zunanjih robov. Če je nadev še vedno preveč gladek, pustite pite v pečici še približno 5 minut.

g) Pekač s crack pito nežno vzemite iz pečice in prestavite na rešetko, da se ohladi na sobno temperaturo. (Postopek hlajenja lahko pospešite tako, da pite previdno prestavite v hladilnik ali zamrzovalnik, če se vam mudi.) Nato svoje pite zamrznite za vsaj 3 ure ali čez noč, da se nadev zgosti za gost končni izdelek – zamrzovanje je značilna tehnika in rezultat popolno izdelane crack pite.

h) Če pite ne postrežete takoj, jo dobro zavijte v plastično folijo. V hladilniku ostanejo sveži 5 dni; v zamrzovalniku bodo zdržali 1 mesec. Prenesite pite iz zamrzovalnika v hladilnik, da se odmrznejo najmanj 1 uro, preden ste pripravljeni vstopiti tja.

i) Postrezite svojo crack pito hladno! Okrasite svojo pito(e) s slaščičarskim sladkorjem, tako da ga pretlačite skozi fino cedilo ali s prsti razdelite ščepce.

**ZA POLNILO**

j) Zmešajte sladkor, rjavi sladkor, mleko v prahu, koruzni prah in sol v skledi stoječega mešalnika, opremljenega z nastavkom za lopatice, in mešajte pri nizki hitrosti, dokler ni enakomerno premešano.

k) Dodajte stopljeno maslo in kuhajte 2 do 3 minute, dokler niso vse suhe sestavine vlažne.

l) Dodajte gosto smetano in vanilijo ter nadaljujte z mešanjem pri nizki temperaturi 2 do 3 minute, dokler bele proge smetane popolnoma ne izginejo v mešanici. Z lopatko postrgajte po stenah sklede.

m) Dodajte rumenjake in jih vmešajte v mešanico, da se združijo; pazite, da mešanica ne prezrači, vendar se prepričajte, da je mešanica sijoča in homogena. Mešajte pri nizki hitrosti, dokler ni.

n) Nadev uporabite takoj ali pa ga shranite v nepredušni posodi v hladilniku do 1 tedna.

## 19. Mlečno sladoledna pita iz sladke koruze

NAREDI 1 (10–PALČNO) PITO; SLUŽBA 8 DO 10

**SESTAVINE:**
- 225 g koruznih piškotov [približno 3 piškoti]
- 25 g masla, stopljenega ali po potrebi [2 žlici]
- 1 porcija Sladoledni nadev iz sladke koruze in žitaric

**Navodila**

a) Koruzne piškote dajte v kuhinjski robot in jih vklapljajte in izklapljajte, dokler se piškoti ne zdrobijo v svetlo rumen pesek.

b) V skledi z roko gnetite mešanico masla in mletih piškotov, dokler ni dovolj vlažna, da oblikujete kroglo. Če ni dovolj vlažno, stopite dodatnih 14 g (1 žlica) masla in ga vgnetite.

c) S prsti in dlanmi trdno pritisnite skorjo koruznega piškota v 10-palčni krožnik za pito. Prepričajte se, da so dno in stene krožnika za pite enakomerno prekrite. Zavito v plastiko lahko skorjo zamrznete do 2 tedna.

d) Z lopatko postrgajte in razporedite nadev iz žitnega mleka v lupino pite. Napolnjeno pito potrkajte ob površino pulta, da poravnate nadev.

e) Zamrznite pito za vsaj 3 ure ali dokler "sladoled" ni zamrznjen in dovolj trd, da ga lahko razrežete in postrežete. Če svoje rezine raja prihranite za pozneje, lahko sladoledno pito, zavito v plastiko, zamrznete do 2 tedna.

## 20.  Kremna pita z rikoto

Naredi: 6

**SESTAVINE:**
- 1 skorja za pito, kupljena v trgovini
- 1 ½ lb sira ricotta
- ½ skodelice mascarpone sira
- 4 stepena jajca
- ½ skodelice belega sladkorja
- 1 žlica žganja

**NAVODILA:**
a) Pečico segrejte na 350 stopinj Fahrenheita.
b) Zmešajte vse **SESTAVINE ZA NADEV:** v skledi za mešanje. Nato zmes vlijemo v skorjo.
c) Pečico segrejte na 350°F in pecite 45 minut.
d) Pred serviranjem pito hladite vsaj 1 uro.

## 21. Kremna pita iz indijskih oreščkov in banan

Za 8 obrokov

**SESTAVINE:**

- 11/2 skodelice veganskih vanilijevih piškotnih drobtin
- 1/4 skodelice veganske margarine, stopljene
- 1/2 skodelice nesoljenih surovih indijskih oreščkov
- 1 (13 unč) pločevinka nesladkanega kokosovega mleka
- 2/3 skodelice sladkorja
- zrele banane
- 1 žlica agar kosmičev
- 1 čajna žlička čistega vanilijevega ekstrakta
- 1 čajna žlička kokosovega ekstrakta (neobvezno)
- Veganska stepena smetana, doma narejena ali kupljena v trgovini, in popečen kokos za okras

**NAVODILA:**

a) Rahlo naoljite dno in stranice 8-palčnega vzmetnega pekača ali krožnika za pite in ga postavite na stran. V kuhinjskem robotu zmešajte piškotne drobtine in margarino ter stepajte, dokler se drobtine ne navlažijo. Mešanico drobtin vtisnite na dno in stranice pripravljenega pekača. Hladite, dokler ni potrebno.

b) V hitrem blenderju zmeljemo indijske oreščke v prah. Dodajte kokosovo mleko, sladkor in eno od banan ter mešajte do gladkega. Mešanico strgajte v ponev, dodajte kosmiče agarja in pustite za 10 minut, da se agar zmehča. Pustite, da zavre, nato zmanjšajte ogenj na nizko in kuhajte približno 3 minute, nenehno mešajte, da se agar raztopi. Odstranite z ognja in vmešajte limonin sok, vanilijo in ekstrakt kokosa, če ga uporabljate. Dati na stran.

c) Preostali 2 banani narežite na 1/4-palčne rezine in jih enakomerno razporedite po dnu pripravljene

d) ponev. Mešanico indijskih oreščkov in banan razporedite po pekaču, nato pa ohladite, dokler se dobro ne ohladi. Ko ste pripravljeni za serviranje, okrasite s stepeno smetano in popečenim kokosom. Ostanke shranite pokrite v hladilniku.

## 22.  Sladoledna pita z arašidovim maslom

Za 8 obrokov

**SESTAVINE:**
- 1 1/2 skodelice veganskih čokoladnih piškotnih drobtin
- 1/4 skodelice veganske margarine, stopljene
- 1 liter veganskega vanilijevega sladoleda, zmehčanega
- 2 skodelici kremastega arašidovega masla
- Veganski čokoladni zvitki, za okras

**NAVODILA:**
a) Rahlo naoljite dno in stranice 9-palčnega vzmetnega pekača in ga postavite na stran. V kuhinjskem robotu zmešajte piškotne drobtine in margarino ter jih obdelajte, dokler se drobtine ne navlažijo. Mešanico drobtin vtisnite v pripravljen pekač in jo potisnite na dno in stranice pekača. Hladite, dokler ni potrebno.
b) V kuhinjskem robotu zmešajte sladoled in arašidovo maslo ter mešajte, dokler se dobro ne zmešata. Mešanico enakomerno porazdelite v pripravljeno skorjo.
c) Zamrznite za 3 ure ali čez noč. Pito segrejte na sobno temperaturo za 5 minut in previdno odstranite stene pekača. Po vrhu pite potresemo čokoladne kodre in postrežemo.

## 23. B ostonska kremna pita

Naredi: 1 obrok

**SESTAVINE:**
- 1 skodelica mleka
- ½ skodelice granuliranega sladkorja
- 3 žlice moke
- ⅛ čajne žličke soli
- 2 rumenjaka
- 1½ čajne žličke vanilije
- 2 8-palčni plasti Boston Favorite
- Torta (glej MM #3607)
- Slaščičarski sladkor

**NAVODILA:**
a) V ponvi segrejte mleko, dokler ni zelo vroče, nato pa na hitro vmešajte kristalni sladkor, moko in sol. Na zmernem ognju ob stalnem mešanju kuhamo do zelo gostega.
b) Dodamo rumenjake in med nenehnim mešanjem kuhamo še 4-5 minut. Odstranimo z ognja, dodamo vanilijo in ohladimo ter občasno premešamo. Dobro pokrijte in ohladite do uporabe.
c) Kremo namažite med tortne plasti, vrh torte pa potresite s slaščičarskim sladkorjem. Hraniti v hladilniku.

# ROČNE PITE

## 24. S'mores ročne pite

Naredi: 8 ročnih pit

## SESTAVINE:
- 1 pakiranje. (2 skorjici) ohlajeni nekuhani pirecki
- 2 žlici. plus 2 žlički. maslo, stopljeno
- 1 skodelica marshmallow namaza
- 4 dvojni graham krekerji, zdrobljeni
- 1 skodelica polsladkih čokoladnih koščkov
- 1 veliko jajce, rahlo stepeno

## NAVODILA:
a) Pečico segrejte na 340°F (171°C).
b) Dva pekača obložite s pergamentnim papirjem in postavite na stran.
c) Na pomokano delovno površino položimo pite in jih z valjarjem rahlo razvaljamo. Z uporabo majhne, prevrnjene sklede s 6-in. (15 cm) premera, pritisnite v testo, da izrežete 8 krogov. Vsak krog premažite z 1 čajno žličko masla.
d) Na vsak krog položite 2 žlici marshmallow namaza. Drobtine graham krekerja enakomerno porazdelite po polovici vseh 8 krogov, pri čemer pustite ½-palčni (1,25 cm) rob. Vsako potresemo s polsladkimi čokoladnimi koščki.
e) S slaščičarskim čopičem pobarvamo robove krogov z jajcem. Prepognite kroge in pritisnite, da se zaprejo. Z vilicami naredimo vdolbine okoli skorje. Z ostrim nožem naredite odprtine za paro.
f) Pečemo 12 do 14 minut oziroma do zlato rjave barve. Pred serviranjem pustite, da se malo ohladi.
g) Shranjevanje: Hraniti v npredušni posodi pri sobni temperaturi do 3 dni.

## 25. Borovničeve ročne pite

Naredi: 8

**SESTAVINE:**
- 1 skodelica borovnic
- 2½ žlici sladkorja v prahu
- 1 čajna žlička limoninega soka
- 1 ščepec soli
- 320 g ohlajene skorje za pito
- voda

**NAVODILA:**
a) Zmešajte borovnice, sladkor, limonin sok in sol v srednji posodi za mešanje.
b) Razvaljajte skorje in izrežite 6-8 ločenih krogov.
c) Na sredino vsakega kroga damo približno 1 žlico borovničevega nadeva.
d) Zmočite robove testa in ga prepognite čez nadev, da dobite obliko polmeseca.

e) Z vilicami nežno zmečkajte robove skorje. Nato na vrhu ročnih pit zarežite tri zareze.
f) Ročne pite popršite z oljem za kuhanje.
g) Položite jih na SearPlate.
h) Vklopite pečico Air Fryer in zavrtite gumb, da izberete »Bake«.
i) Izberite časovnik za 20 minut in temperaturo za 350 °F.
j) Ko enota zapiska, kar pomeni, da se je predgrela, odprite vrata pečice in vstavite SearPlate v pečico.
k) Pred serviranjem pustite, da se ohladi dve minuti.

## 26.  Jagodna ročna pita

Naredi: 1 obrok

**SESTAVINE:**

- 1 Stisnite maslo
- 1¼ skodelice sladkorja
- 1 jajce
- 3 unče kremnega sira
- 2 čajni žlički pinjenca
- 3 skodelice večnamenske moke
- ¼ čajne žličke sode bikarbone
- 1 čajna žlička pecilnega praška
- ½ čajne žličke soli
- 1 skodelica jagodnih konzerv
- 2 skodelici na kocke narezanih svežih jagod
- 1 čajna žlička limoninega soka
- 2 žlički limonine lupinice

**NAVODILA:**

a) Za pripravo testa z električnim mešalnikom stepamo maslo in sladkor. Dodajte jajce in kremni sir ter dobro premešajte.

b) Dodajte pinjenec in premešajte, da se združi. Počasi vmešamo moko, da oblikujemo testo. Dodajte sodo bikarbono, pecilni prašek in sol. Dobro premešajte in nato z rokami pregnetite testo in oblikujte kroglo.

c) Testo hladite 1 uro. Če želite narediti pite, razvaljajte testo in izrežite šest krogov velikosti 6". Pripravite nadev tako, da zmešate jagodne konzerve, sveže jagode, limonin sok in limonino lupinico. Na eno stran vsakega testenega kroga nanesite 3 žlice nadeva. Prepognite čisto stran in stisnite robove skupaj z vilicami.

d) Pečemo pri 375 stopinjah 20 minut, dokler ne postanejo zlate barve.

## 27.  Jabolčne ročne pite

Naredi: 8-10 ročnih pit

**SESTAVINE:**
- 2 skodelici večnamenske moke
- 1 čajna žlička soli
- 1 žlica sladkorja
- 3/4 palčke (3/4 skodelice) zelenjavne masti, narezane na kocke
- 4 do 8 žlic ledeno mrzle vode

**ZA POLNILO**
- 2 veliki jabolki za peko, olupljeni, brez peščic in narezani na kocke
- 3 žlice granuliranega sladkorja
- 3 žlice svetlo rjavega sladkorja
- 1 1/2 žličke začimbe za jabolčno pito
- 1 čajna žlička večnamenske moke

**ZA PRELIV**
- 1 veliko jajce
- 1 čajna žlička vode
- peneči sladkor, neobvezno

**NAVODILA**
**ZA SKORICO**
a) V veliki skledi zmešajte moko, sol in sladkor.
b) Maso narežite v mešanico moke z mešalnikom za pecivo ali dvema nožema.
c) Z vilicami vmešajte ravno toliko vode, da se testo drži skupaj.
d) Testo oblikujemo v kroglo in sploščimo v okrogel disk. Za lažje valjanje testo zavijte v plastično folijo. Hladite 30 minut ali do 2 dni.
e) Ko je testo ohlajeno in ste pripravljeni sestaviti pite, segrejte pečico na 400°F, obložite pekač s pergamentnim papirjem in pripravite nadev.

**ZA POLNILO**
f) V srednje veliki skledi premešajte jabolka s sladkorji, začimbami za jabolčno pito in moko.

**SESTAVI PITE**

g) Odstranite testo iz hladilnika in ga odstranite iz plastične folije.

h) Na izdatno pomokani delovni površini razvaljajte testo, dokler ni debelo približno 1/8 palca.

i) S 5-palčnim okroglim modelčkom za piškote izrežite testo v kroge. Po potrebi ponovno razvaljajte testo, da ustvarite 8-10 krogov.

j) Na sredino vsakega testenega kroga dodamo eno zvrhano žlico nadeva, tako da ostane čim več tekočine.

k) Krog testa prepognemo na polovico in s prsti ali vilicami zalepimo in zmečkamo robove.

l) Ročne pite položite na pripravljen pekač.

m) V majhni skledi zmešajte jajce in vodo.

n) S konico ostrega noža zarežite 2 majhni zarezi na vrhu vsake pite.

o) S čopičem za pecivo rahlo premažite vrhove ročnih pit z jajčnim sredstvom. Po želji potresemo s penastim sladkorjem.

p) Pečemo v predhodno ogreti pečici 20-25 minut oziroma do zlato rjave barve.

q) Pustite, da se ročne pite ohladijo. Po želji postrežemo z domačo slano karamelno omako.

# SADNE PITE

## 28.  Ključna limetina pita

**SESTAVINE:**
**SKORJA:**
- 2 skodelici orehov makadamije
- 2 skodelici pekanov
- 2 ščepca soli
- 2-3 žlice datljeve paste

**POLNJENJE**
- 1 skodelica limetinega soka
- 1 čajna žlička zelene hrane (neobvezno)
- 1 skodelica mokrega avokada
- 1 ½ skodelice kokosovega mleka
- 1 skodelica agavinega nektarja
- 3 žlice lecitinske soli in vanilije po okusu
- 1 skodelica kokosovega olja brez vonja

**MERINGUE PRELIV**
- 1 oz. (¼ pakirane skodelice) namočenega in opranega morskega mahu
- ½ skodelice vode
- 2 skodelici kokosovega mleka
- ½ skodelice kokosovega mesa
- ½ skodelice namočenih indijskih oreščkov
- 6 žlic agave
- sol in vanilija po okusu
- 1 ½ žlice lecitina
- 1 skodelica kokosovega olja (brez vonja)

**NAVODILA:**
**SKORJA:**
a) Vse sestavine dajte v kuhinjski robot in pretlačite do gladkega pireja.
b) Pritisnite v krožnik za pite in ohladite, dokler se ne strdi.

**POLNJENJE**
c) Naredite kokosovo mleko tako, da zmešate vodo mladega kokosa z njegovim mesom.

d) Mešajte do gladkega.
e) Vlijemo v skorjo za pito in pustimo, da se strdi v hladilniku.

**MERINGUE PRELIV**

f) Mah za 30 minut – 3 ure namočite v prečiščeno vodo in dobro sperite ter odcedite.
g) Mešajte morski mah in vodo vsaj 30 sekund ali dokler se ne razgradita.
h) Dodajte preostale SESTAVINE : razen lecitina in kokosovega olja ter mešajte, dokler se dobro ne premeša.
i) Med mešanjem dodajte lecitin in kokosovo olje, dokler ne postane gladko in kremasto.
j) Nalijte v skledo in ohladite, dokler se ne zgosti in postane hladno.

## 29.  Jabolčna pita iz ponve

Naredi: 8 Naredi: 1 jabolčno pito

- ½ skodelice masla
- 1 skodelica rjavega sladkorja
- 5 jabolk Granny Smith, olupljenih, in na tanke rezine
- 3 (9 palcev) ohlajene predhodno zvite skorje za pito
- 1 skodelica belega sladkorja, razdeljena
- 2 čajni žlički mletega cimeta, razdeljeno
- ¼ skodelice belega sladkorja
- 1 žlica masla, narezanega na majhne koščke

**Navodila**

a)  Pečico segrejte na 350 stopinj F (175 stopinj C).
b)  V težko litoželezno ponev dajte 1/2 skodelice masla in v pečici stopite maslo. Odstrani ponev in potresemo z rjavim sladkorjem; vrnite v pečico, da se segreje, medtem ko pripraviti jabolka.
c)  Odstranite ponev in položite 1 ohlajeno skorjo za pito na vrh rjavega sladkorja. Na vrhu skorjo za pito s polovico narezanih jabolk.
d)  Jabolka potresemo s 1/2 skodelice sladkorja in 1 čajna žlička cimeta; čez jabolka položite drugo skorjo za pito; vrh druge skorje s preostalimi jabolki in potresemo s 1/2 skodelice sladkorja in 1 čajno žličko cimeta.
e)  Vrh s tretjo skorjo; zgornjo skorjo potresemo s 1/4 skodelice sladkorja in potresemo z 1 žlico masla. Na zgornji skorji zarežite 4 zareze za paro.
f)  Pecite v predhodno ogreti pečici, dokler se jabolka ne zmehčajo in skorja zlato rjavo zapeče približno 45 minut. Postrežemo toplo.

## 30. Borovničeva rabarbarina pita

Naredi: 7 obrokov

**SESTAVINE:**
**NADEV ZA PITE:**
- 4 skodelice sesekljane sveže rabarbare
- 2 skodelici svežih borovnic
- 2 žlici stopljenega masla
- 1-⅓ skodelice belega sladkorja
- ⅔ skodelice štiri

**CRUMBLE TOP:**
- ½ skodelice (1 palčka) stopljenega masla
- 1 skodelica moke
- 1 skodelica ovsa
- 1 skodelica stisnjenega rjavega sladkorja
- 1 čajna žlička cimeta

**NAVODILA:**
**NADEV ZA PITE:**
a) Dno 9" globokega pekača za pite popršite s pršilom.
b) Pekač obložite s skorjo za pito. Če delate vrh za drobljenje, robove skorje pred polnjenjem nagubajte.
c) Preden dodate nadev za pito, na dno skorje za pito enakomerno razporedite ¼ skodelice moke.
d) Zmešajte ves nadev za pito **SESTAVINE:** in vtisnite v skorjo za pito.

**CRUMBLE TOP:**
e) Zmešajte vse sestavine, dokler niso dobro premešane in drobtine.

**PEKA:**
f) Nadevu za pito dodajte drobljenec in ga enakomerno porazdelite. Če uporabljate zgornjo skorjo za pito, položite čez celoten nadev za pito in pritisnite robove zgornje skorje za pito na spodnjo skorjo, tako da robove nagubate. Na zgornji skorji naredite zareze, da se pita lahko pari. Zgornjo skorjo poškropite s pršilom za ponev in surovo dobro potresite s 5 žlicami sladkorja.

g) Pokrijte s kositrno folijo in pecite pri 350 stopinjah 1 uro (manj, če uporabljate konvekcijsko pečico)
h) Pustite, da se pita popolnoma ohladi, preden jo postrežete.

## 31.  Jabolčna pita

Naredi: 7 obrokov

**SESTAVINE:**
**NADEV ZA PITE:**
- 8 jabolk Granny Smith, olupljenih in narezanih (7 jabolk, če so jabolka zelo velika)
- 2 žlici stopljenega masla
- ⅔ skodelice moke
- 1 skodelica belega sladkorja
- 1 čajna žlička cimeta

**CRUMBLE TOP:**
- ½ skodelice (1 palčka) stopljenega masla
- 1 skodelica moke
- 1 skodelica ovsa
- 1 skodelica stisnjenega rjavega sladkorja
- 1 čajna žlička cimeta

**NAVODILA:**
**NADEV ZA PITE:**
a) Dno 9" globokega pekača za pite popršite s pršilom.
b) Pekač obložite s skorjo za pito. Če delate vrh za drobljenje, robove skorje pred polnjenjem nagubajte.
c) Preden dodate nadev za pito, na dno skorje za pito enakomerno razporedite ¼ skodelice moke.
d) Zmešajte ves nadev za pito **SESTAVINE:** in vtisnite v skorjo za pito. Pita bo kar velika.

**CRUMBLE TOP:**
e) Zmešajte vse sestavine, dokler niso dobro premešane in drobtine.

**PEKA:**
f) Nadevu za pito dodajte drobljenec in ga enakomerno porazdelite. Če uporabljate zgornjo skorjo za pito, položite čez celoten nadev za pito in pritisnite robove zgornje skorje za pito na spodnjo skorjo, tako da robove nagubate.

g) Na zgornji skorji naredite zareze, da se pita lahko pari. Zgornjo skorjo poškropite s pršilom za ponev in surovo dobro potresite s 5 žlicami sladkorja.

h) Pokrijte s folijo in pecite pri 350 stopinjah 1 uro (manj, če uporabljate konvekcijsko pečico)

i) Pustite, da se pita popolnoma ohladi, preden jo postrežete.

## 32. Enostavna kokosova pita brez glutena

Naredi: 6-8

**SESTAVINE:**
- 1 čajna žlička vanilijevega ekstrakta
- 2 jajci
- 1 1/2 skodelice mleka
- 1/2 skodelice Monk Fruit
- 1/2 skodelice kokosove moke
- 1/4 skodelice masla
- 1 skodelica naribanega kokosa

**NAVODILA:**
a) Zmešajte vse **SESTAVINE:** naredite testo.
b) Krožnik za pito namažite s pršilom proti prijemanju in ga napolnite z maso.
c) Kuhajte v cvrtniku Air Fryer pri 350 stopinjah 12 minut.

## 33.  Grenivkina pita

# NAREDI 1 (10-PALČNO) PITO; SLUŽBA 8 DO 10

**SESTAVINE:**
- 1 porcija nepečenega Ritz Cruncha
- 1 porcija Grapefruit Passion Curd
- 1 porcija sladkane kondenzirane grenivke

**Navodila**
a) Pečico segrejte na 275°F.
b) Stisnite Ritz crunch v 10-palčni model za pite. S prsti in dlanmi močno pritisnite hrustljavo navznoter, pri čemer pazite, da enakomerno in v celoti pokrijete dno in stranice.
c) Pekač položite na pekač in pecite 20 minut. Ritzova skorja mora biti nekoliko bolj zlato rjava in nekoliko bolj maslena kot hrustljava, s katero ste začeli. Skorjo popolnoma ohladite; zavito v plastiko lahko skorjo zamrznete do 2 tedna.
d) Z žlico ali lopatico enakomerno porazdelite pasijonko iz grenivke po dnu Ritz skorje. Pito postavite v zamrzovalnik, da se skuta strdi, dokler ni čvrsta, približno 30 minut.
e) Z žlico ali lopatico na skuto razporedite sladkano kondenzirano grenivko, pri čemer pazite, da ne zmešate obeh plasti in da je skuta v celoti prekrita. Vrnite v zamrzovalnik, dokler ni pripravljen za rezanje in serviranje.

## 34.  <u>Brusnična pita</u>

Naredi : 8 obrokov

**SESTAVINE:**
- 2 skorjici za pito
- 1 paket želatina; okus pomaranče
- ¾ skodelice Vrele vode
- ½ skodelice pomarančni sok
- 1 pločevinka (8 oz) žele brusnične omake
- 1 čajna žlička Naribana pomarančna lupinica
- 1 skodelica Hladen pol-pol ali mleko
- 1 paket Jell-O instant puding , francoska vanilija ali okus vanilije
- 1 skodelica Stepen preliv Cool Whip
- Zamrznjene brusnice

**NAVODILA:**
a) Pečico segrejte na 450°F
b) Želatino zavremo in jo raztopimo. Prilijemo pomarančni sok. Posodo postavite v večjo posodo za led in vodo. Pustite stati 5 minut, ob rednem mešanju, dokler se želatina rahlo ne zgosti.
c) Dodajte brusnično omako in pomarančno lupinico ter premešajte, da se združita. Skorjo za pito napolnimo z nadevom. Hladite približno 30 minut ali dokler se ne strdi.
d) V srednje veliko posodo za mešanje vlijemo pol in pol. Vmešajte mešanico za nadev za pite. Mešajte , dokler ni popolnoma premešano.
e) Pustite 2 minuti ali dokler se omaka nekoliko ne zgosti. Nazadnje vmešamo še stepen preliv.
f) Po vrhu nežno razporedite mešanico želatine. Hladite 2 uri ali dokler se ne strdi.

## 35. Pita z breskovimi drobtinami

Za 8 obrokov

**SESTAVINE:**
- 11/4 skodelice večnamenske moke
- 1/4 čajne žličke soli
- 1/2 žličke sladkorja
- 1/2 skodelice veganske margarine, narezane na majhne koščke
- 2 žlici hladne vode, po potrebi še več
- zrele breskve, olupljene, razkoščičene in narezane
- 1 čajna žlička veganske margarine
- 2 žlici sladkorja
- 1/2 čajne žličke mletega cimeta
Preliv
- ¾ skodelice staromodnega ovsa
- 1/3 skodelice veganske margarine, zmehčane
- 2 žlici sladkorja
- 1 čajna žlička mletega cimeta
- 1/4 čajne žličke soli

**NAVODILA:**
a) Naredite skorjo: V veliki skledi zmešajte moko, sol in sladkor. Z mešalnikom za pecivo ali vilicami narežite margarino, dokler zmes ne postane podobna grobim drobtinam. Po malem dodajte vodo in mešajte, dokler se testo ne začne držati skupaj.
b) Testo sploščite v disk in zavijte v plastično folijo. Hladite 30 minut, medtem ko pripravite nadev.
c) Pečico segrejte na 425°F. Testo razvaljamo na rahlo pomokani delovni površini na približno 10 centimetrov premera. Testo položite v 9-palčni krožnik za pite ter obrežite in zavihajte robove. Rezine breskev razporedite po skorji. Pokapljamo z margarino in potresemo s sladkorjem in cimetom. Dati na stran.
d) Pripravite preliv: V srednji skledi zmešajte oves, margarino, sladkor, cimet in sol. Dobro premešamo in potresemo po vrhu sadja.

e) Pecite, dokler sadje ne postane mehurčasto in skorja zlato rjava, približno 40 minut. Odstranite iz pečice in rahlo ohladite, 15 do 20 minut. Postrežemo toplo.

## 36. Jagodna pita v oblaku

Za 8 obrokov

**SESTAVINE:**
**SKORJA**
- 11/4 skodelice večnamenske moke
- 1/4 čajne žličke soli
- 1/2 žličke sladkorja
- 1/2 skodelice veganske margarine, narezane na majhne koščke
- 3 žlice ledene vode

**POLNJENJE**
- 1 (12 unč) paket čvrstega svilenega tofuja, odcejenega in stisnjenega
- ¾ skodelice sladkorja
- 1 čajna žlička čistega vanilijevega ekstrakta
- 2 skodelici narezanih svežih jagod
- 1/2 skodelice jagodnih konzerv
- 1 žlica koruznega škroba, raztopljenega v 2 žlicah vode

**NAVODILA:**
a) Naredite skorjo: V kuhinjskem robotu zmešajte moko, sol in sladkor ter stročnice. Dodamo margarino in obdelamo, dokler ne postane drobtina.
b) Ko stroj deluje, nalijte vodo in obdelajte, da oblikujete mehko testo. Ne premešajte. Testo sploščite v disk in zavijte v plastično folijo.
c) Hladimo 30 minut. Pečico segrejte na 400°F.
d) Testo razvaljamo na rahlo pomokani delovni površini na približno 10 centimetrov premera. Testo vstavite v 9-palčni krožnik za pite. Obrežite in nagubajte robove. Na dnu testa z vilicami prebodemo luknje. Pečemo 10 minut, nato vzamemo iz pečice in odstavimo. Zmanjšajte temperaturo pečice na 350 °F.
e) Pripravite nadev: V mešalniku ali kuhinjskem robotu zmešajte tofu, sladkor in vanilijo ter mešajte, dokler ni gladka. Vlijemo v pripravljeno skorjo.
f) Pečemo 30 minut. Odstranite iz pečice in pustite, da se ohladi 30 minut.

g) Narezane jagode razporedite po vrhu pite v okrasnem vzorcu, da pokrije celotno površino. Dati na stran.

h) Konzerve pretlačite v mešalniku ali kuhinjskem robotu in jih prenesite v majhno ponev na srednji vročini. Vmešajte mešanico koruznega škroba in nadaljujte z mešanjem, dokler se zmes ne zgosti.

i) Pito z žlico prelijemo z jagodno glazuro. Pito ohladite vsaj 1 uro, preden jo postrežete, da se nadev ohladi in glazura strdi.

## 37. <u>Pita s svežim sadjem brez peke</u>

Za 8 obrokov

**SESTAVINE:**

- 11/2 skodelice veganskih ovsenih piškotnih drobtin
- 1/4 skodelice veganske margarine
- 1 funt trdega tofuja, dobro odcejenega in stisnjenega (glejte Tofu)
- ¾ skodelice sladkorja
- 1 čajna žlička čistega vanilijevega ekstrakta
- 1 zrela breskev, brez koščic in narezana na 1/4-palčne rezine
- 2 zreli slivi, razkoščičeni in narezani na 1/4-palčne rezine
- 1/4 skodelice konzervirane breskve
- 1 čajna žlička svežega lema na soku

**NAVODILA:**

a) Namastite 9-palčni krožnik za pito in ga postavite na stran. V kuhinjskem robotu zmešajte drobtine in stopljeno margarino ter jih obdelajte, dokler se drobtine ne navlažijo.

b) Mešanico drobtin vtisnite v pripravljen krožnik za pito. Hladite, dokler ni potrebno.

c) V kuhinjskem robotu zmešajte tofu, sladkor in vanilijo ter jih pretlačite do gladkega. Mešanico tofuja razporedite v ohlajeno skorjo in postavite v hladilnik za 1 uro.

d) Sadje dekorativno razporedite po mešanici tofuja. Dati na stran.

e) V majhni skledi, odporni na vročino, zmešajte konzerve in limonin sok ter kuhajte v mikrovalovni pečici, dokler se ne stopijo, približno 5 sekund. Premešamo in pokapamo po sadju.

f) Pred serviranjem pito hladite vsaj 1 uro, da se nadev ohladi in glazura strdi.

## 38.  Banana Mango pita

Za 6 obrokov

**SESTAVINE:**
- 1½ skodelice veganskih vanilijevih piškotnih drobtin
- 1/4 skodelice veganske margarine, stopljene
- 1 skodelica mangovega soka
- 1 žlica agar kosmičev
- 1/4 skodelice agavinega nektarja
- zrele banane, olupljene in narezane na koščke
- 1 čajna žlička svežega limoninega soka
- 1 svež zrel mango, olupljen, brez koščic in narezan na tanke rezine

**NAVODILA:**
a) Namastite dno in stranice 8-palčnega krožnika za pite. Piškotne drobtine in stopljeno margarino dajte na dno krožnika za pite in mešajte z vilicami, dokler se drobtine ne navlažijo. Pritisnite na dno in stranice pripravljenega krožnika za pito. Hladite, dokler ni potrebno.

b) V majhni ponvi zmešajte sok in agarjeve kosmiče. Pustite stati 10 minut, da se zmehča. Dodajte agavin nektar in mešanico zavrite. Zmanjšajte ogenj in mešajte, dokler se ne raztopi, približno 3 minute.

c) Banane dajte v kuhinjski robot in obdelajte, dokler niso gladke. Dodajte mešanico agarja in limonin sok ter obdelujte, dokler ni gladka in dobro premešana. Z gumijasto lopatko postrgajte nadev v pripravljeno skorjo. Postavite v hladilnik za 2 uri ali dlje, da se ohladi in pripravi.

d) Tik preden postrežemo, rezine manga razporedimo v krog po vrhu pite.

## 39. Jagodna kremna pita

# POLNI 1 PITO

## SESTAVINE:

- 1 recept Basic Piecrust
- 2 recepta za stepeno smetano iz indijskih oreščkov
- 2 skodelici razpolovljenih jagod
- 2 žlici agavinega sirupa

## NAVODILA:

a) Razporedite stepeno smetano v testo v eni, enakomerni plasti.
b) Polovice jagod stresite v agavin sirup, nato pa jagode z rezinami navzdol razporedite po kremi.
c) V hladilniku bo zdržal 2 ali 3 dni.

## 40. Jabolčna meringue pita

Naredi : 6 obrokov

**SESTAVINE:**

- 1 vsak 9- palčna nepečena lupina za pito
- 2 skodelici Naribano jabolko
- ½ skodelice sladkor
- 3 žlice maslo
- 1 žlica Limonin sok
- 3 vsak Jajca, ločena
- ½ čajne žličke Cimet
- ½ čajne žličke muškatni orešček
- ¼ skodelice Slaščičarski sladkor
- 1 čajna žlička Vanilija

**NAVODILA:**

a) Jabolka enakomerno porazdelite po dnu lupine za pito. V ločeni skledi dodajte sladkor in maslo. Zmešajte limonin sok in 3 stepene rumenjake.

b) Prelijemo čez jabolko. Potresemo s cimetom in muškatnim oreščkom. Pečemo v pečici pri 350 stopinjah 40 do 45 minut. Beljake stepamo toliko časa, da nastanejo vrhovi.

c) Postopoma dodajte sladkor v prahu in vanilijo ter stepajte, dokler meringue ni trd. Razporedite po vrhu pite. Vrnite v pečico. Zmanjšajte temperaturo na 325 stopinj.

d) Pecite 5 do 10 minut dlje, dokler meringue rahlo ne porjavi.

## 41.  Cheddar crumble jabolčna pita

Naredi : 8 obrokov

**SESTAVINE:**
- 1 vsak 9- palčna nepečena lupina pite
- ½ skodelice Nebeljena moka
- ⅓ skodelice sladkor
- 1½ funtov Kuhanje jabolk;
- 6 unč Čedar, narezan, 1 1/2 C
- 4 čajne žličke Nebeljena moka
- ⅓ skodelice Rjavi sladkor; Trdno zapakirano
- ½ čajne žličke Cimet; Tla
- ¼ čajne žličke muškatni orešček; Tla
- 5 žlic maslo
- 1 žlica Limonin sok; Sveže

**NAVODILA:**
a) Izrežite sredico, olupite in na tanko narežite
b) Okoli skorje pite naredite visok obod. Vse suhe sestavine zmešamo v preliv in na drobtine narežemo maslo. Dati na stran. Zmešajte jabolka in limonin sok ter dodajte sir, moko in muškatni orešček, premešajte in dobro premešajte.
c) Jabolka razporedimo po skorji in pokapamo s prelivom. Pečemo v predhodno ogreti pečici na 375 stopinj F. 40 do 50 minut. Po želji postrezite toplo z vanilijevim sladoledom.

# ZELENJAVNE PITE

## 42. Rabarbara z vrhom makaronov

Naredi: 4 porcije

**SESTAVINE:**
- 4 skodelice narezane sveže ali zamrznjene rabarbare (1-palčni kosi)
- 1 veliko jabolko, olupljeno in narezano
- 1/2 skodelice pakiranega rjavega sladkorja
- 1/2 čajne žličke mletega cimeta, razdeljenega
- 1 žlica koruznega škroba
- 2 žlici hladne vode
- 8 makronov, zdrobljenih
- 1 žlica masla, stopljenega
- 2 žlici sladkorja
- Vaniljev sladoled, po želji

**Navodila**

a) V veliki litoželezni ali drugi ponvi, odporni na pečico, zmešajte rabarbaro, jabolko, rjavi sladkor in 1/4 čajne žličke cimeta; zavrite. Zmanjšajte toploto; pokrijte in dušite, dokler rabarbara ni zelo mehka, 10-13 minut.

b) Zmešajte koruzni škrob in vodo do gladkega; postopoma dodajte sadni mešanici. Zavremo; kuhajte in mešajte, dokler se ne zgosti, približno 2 minuti.

c) V majhni skledi zmešajte zdrobljene piškote, maslo, sladkor in preostali cimet. Potresemo po sadni mešanici.

d) Pecite 4 cm od vročine, dokler rahlo ne porjavi, 3-5 minut. Po želji še toplo postrežemo s sladoledom.

## 43. <u>Rudarska pita</u>

Naredi: 6 rudarskih pit

**SESTAVINE:**
**ZA PITO:**
- 5 skodelic sesekljane zelene (polmesec)
- 8 skodelic sesekljanega korenja
- 2 skodelici narezane čebule
- 3 žlice sesekljanega svežega rožmarina
- 2 žlici sesekljanega česna
- 2 žlici timijana
- 2 žlici origana
- 4 skodelice močnega piva
- 3 skodelice goveje juhe
- 10 funtov mlete govedine

**ZA POREKE:**
- 1 vrečka pire lončkov
- 1 palčka (½ skodelice) masla
- ¼ skodelice kisle smetane
- 1 žlica mletega hrena

**NAVODILA:**
**ZA PITO:**
a) Dno velikega lonca pokapamo z oljem.
b) Dodajte česen, čebulo, korenje, zeleno in začimbe.
c) Dodajte stout in govejo osnovo. Zavremo in zmanjšamo vreti. Pustimo vreti, dokler se zelenjava rahlo ne zmehča.
d) Dodajte mleto govedino in pogosto premešajte. Pustite vreti, dokler ni govedina popolnoma kuhana. Začinimo po okusu.

**ZA POREKE:**
a) V ponvi stopite maslo. Dodajte krompir.
b) Dodamo kislo smetano in hren.
c) Mešajte, dokler se ne segreje in postane bolj gosta.
d) Dodajte nadev za pito v 6 kvadratnih skledic.
e) Na vrh s pretlačenimi lončki. Lončke lahko postavite v cevno vrečko in jo nalepite na vrh.

## 44. <u>Rabarbarina pita</u>

Naredi: 7 obrokov

**SESTAVINE:**
**NADEV ZA PITE:**
- 8 jabolk Granny Smith, olupljenih in narezanih (7 jabolk, če so jabolka zelo velika)
- 2 žlici stopljenega masla
- ⅔ skodelice moke
- 1 skodelica belega sladkorja
- 1 čajna žlička cimeta

**CRUMBLE TOP:**
- ½ skodelice (1 palčka) stopljenega masla
- 1 skodelica moke
- 1 skodelica ovsa
- 1 skodelica stisnjenega rjavega sladkorja
- 1 čajna žlička cimeta

**NAVODILA:**
**NADEV ZA PITE:**
a) Dno 9" globokega pekača za pite popršite s pršilom.
b) Pekač obložite s skorjo za pito. Če delate vrh za drobljenje, robove skorje pred polnjenjem nagubajte.
c) Preden dodate nadev za pito, na dno skorje za pito enakomerno razporedite ¼ skodelice moke.
d) Zmešajte ves nadev za pito **SESTAVINE:** in vtisnite v skorjo za pito. Pita bo kar velika.

**CRUMBLE TOP:**
e) Zmešajte vse sestavine, dokler niso dobro premešane in drobtine.

**PEKA:**
f) Nadevu za pito dodajte drobljenec in ga enakomerno porazdelite. Če uporabljate zgornjo skorjo za pito, položite čez celoten nadev za pito in pritisnite robove zgornje skorje za pito na spodnjo skorjo, tako da robove nagubate.

g) Na zgornji skorji naredite zareze, da se pita lahko pari. Zgornjo skorjo poškropite s pršilom za ponev in surovo dobro potresite s 5 žlicami sladkorja.

h) Pokrijte s folijo in pecite pri 350 stopinjah 1 uro (manj, če uporabljate konvekcijsko pečico)

a) Pustite, da se pita popolnoma ohladi, preden jo postrežete.

## 45. Pita iz sladkega krompirja

Naredi: 2 piti iz sladkega krompirja
Skupni čas priprave/kuhanja: 1 ura 5 minut

**SESTAVINE:**
- 2 srednje velika sladka krompirja
- 1 ¼ skodelice sladkorja
- 1 ½ palčke masla
- 4-5 jajc plus 1 jajce
- 1 ½ žlice vanilijevega ekstrakta
- 1 žlica limoninega ekstrakta
- 1 čajna žlička muškatnega oreščka
- 1 čajna žlička cimeta
- 2 globoki skorjici za pito

**NAVODILA**
a) Stepajte sladki krompir, sladkor, maslo in jajca (2 jajci naenkrat) 1 minuto.
b) Dodajte ekstrakt vanilije, ekstrakt limone, muškatni orešček in cimet.
c) Dobro stepajte 3-4 minute
d) Testo prenesite na 2 globoki skorji za pito
e) Krompirjeva zmes bi morala izgledati kot testo za torto in imeti okus po sladoledu.
f) Pečemo v predhodno ogreti pečici na 350 stopinj, 55 do 60 minut.
g) Uživajte!

## 46.  Bučna pita

Naredi : 8 obrokov

**SESTAVINE:**
- 1 pločevinka (30 oz.) mešanice za bučno pito
- 2/3 skodelice evaporiranega mleka
- 2 veliki jajci, pretepeni
- 1 nepečena 9-palčna lupina za pito

**NAVODILA:**
a) Pečico segrejte na 425 stopinj Fahrenheita.
b) V veliki skledi za mešanje zmešajte mešanico za bučno pito, evaporirano mleko in jajca.
c) Nadev vlijemo v lupino za pito.
d) Pečemo 15 minut v pečici.
e) Povišajte temperaturo na 350°F in pecite še 50 minut.
f) Rahlo ga stresite, da vidite, ali je popolnoma pečen.
g) Ohladite 2 uri na rešetki.

## 47.  Južna pita iz sladkega krompirja

Naredi : 10 obrokov

**SESTAVINE:**
- 2 skodelici olupljenega, kuhanega sladkega krompirja
- ¼ skodelice stopljenega masla
- 2 jajci
- 1 skodelica sladkorja
- 2 žlici burbona
- 1/4 čajne žličke soli
- 1/4 čajne žličke mletega cimeta
- 1/4 čajne žličke mletega ingverja
- 1 skodelica mleka

**NAVODILA:**
a) Pečico segrejte na 350 stopinj Fahrenheita.
b) Z izjemo mleka popolnoma zmešajte vse SESTAVINE : v električnem mešalniku.
c) Dodajte mleko in nadaljujte z mešanjem, ko se vse popolnoma poveže.
d) Nadev vlijemo v lupino za pito in pečemo 35–45 minut ali dokler nož, vstavljen blizu sredine, ne pride ven čist.
e) Odstranite iz hladilnika in pustite, da se ohladi na sobno temperaturo, preden postrežete.

## 48.  Italijanska pita iz artičok

Naredi: 8 obrokov

**Sestavina**
- 3 jajca; Pretepen
- 1 Paket 3 oz kremnega sira z drobnjakom; Zmehčano
- ¾ čajne žličke Česen v prahu
- ¼ čajne žličke Poper
- 1½ skodelice sir mocarela, del posnetega mleka; Razrezana
- 1 skodelica Sir Ricotta
- ½ skodelice Majoneza
- 1 Srčki artičoke lahko 14 oz; Odcejeno
- ½ 15 oz Can Garbanzo fižol, v pločevinkah; Oplaknjeno in odcejeno
- 1 2 1/4 oz lahko narezane olive; Odcejeno
- 1 2 Oz Jar Pimientos; Na kocke narezano in odcejeno
- 2 žlici Peteršilj; Odrezano
- 1 Skorja za pito (9 palcev); Nepečeno
- 2 majhni Paradižnik; Narezano

**NAVODILA:**
a)  Zmešajte jajca, kremni sir, česen v prahu in poper v velikem mešalniku. V posodi za mešanje zmešajte 1 skodelico sira mozzarella, sira ricotta in majoneze.
b)  Mešajte, dokler se vse dobro ne premeša.
c)  2 srci artičoke prerežite na pol in odložite. Preostale srčke sesekljajte.
d)  Mešanico sira premešajte s sesekljanimi srčki, fižolom garbanzo, olivami, pimientosom in peteršiljem. Z mešanico napolnite pekač.
e)  Pečemo 30 minut pri 350 stopinjah. Preostalo mocarelo in parmezan potresemo po vrhu.
f)  Pečemo še 15 minut oziroma dokler ni strjeno.
g)  Pustite počivati 10 minut.
h)  Po vrhu razporedite rezine paradižnika in na četrtine narezana srca artičok.
i)  Postrezite

## 49.  <u>Rustikalna domača pita</u>

Za 4 do 6 obrokov

**SESTAVINE:**
- Krompir Yukon Gold, olupljen in narezan na kocke
- 2 žlici veganske margarine
- 1/4 skodelice navadnega nesladkanega sojinega mleka
- Sol in sveže mlet črni poper
- 1 žlica olivnega olja
- 1 srednje velika rumena čebula, drobno sesekljana
- 1 srednje velik korenček, drobno narezan
- 1 rebro zelene, drobno sesekljano
- 12 unč drobno sesekljane seite
- 1 skodelica zamrznjenega graha
- 1 skodelica zamrznjenih koruznih zrn
- 1 čajna žlička posušene slane
- 1/2 čajne žličke posušenega timijana

**Navodila**

a) V ponvi z vrelo slano vodo kuhajte krompir, dokler se ne zmehča, 15 do 20 minut.

b) Dobro odcedimo in vrnemo v lonec. Dodajte margarino, sojino mleko ter sol in poper po okusu.

c) S tlačilko za krompir grobo pretlačimo in odstavimo. Pečico segrejte na 350°F.

d) V večji ponvi na srednjem ognju segrejte olje. Dodajte čebulo, korenje in zeleno.

e) Pokrijte in kuhajte, dokler se ne zmehča, približno 10 minut. Zelenjavo prenesite v pekač 9 x 13 palcev. Vmešajte sejtan, gobovo omako, grah, koruzo, slanico in timijan.

f) Po okusu začinimo s soljo in poprom ter zmes enakomerno razporedimo po pekaču.

g) Na vrh položite pire krompir, ki ga razporedite do robov pekača. Pečemo, dokler krompir ne porjavi in nadev postane mehurček, približno 45 minut.

h) Postrezite takoj.

## 50. Pita s piščancem, porom in gobami

Naredi: 6

**SESTAVINE:**
- 1 kos krhkega testa, ohlajeno
- ekstra brezglutenska navadna (vsestranska) mešanica moke za razvaljanje peciva
- 250 g (2½ skodelice) sesekljanega koromača
- 2 srednje velika pora, narezana
- 240 g (2 skodelici) gob
- 240 ml (1 skodelica) belega vina
- 240 ml (1 skodelica) mleka
- 120 ml (½ skodelice) sveže kreme
- 4 žlice koruzne moke/koruznega škroba
- 700 g (1½ lb.) piščančjih prsi
- ½ žličke sveže mletega črnega popra
- ¼ žličke morske (košer) soli
- 2 žlički posušenih provansalskih zelišč
- 2 žlici oljčnega olja

**NAVODILA:**
a) Por narežemo, oplaknemo in dobro odcedimo. Koromač narežemo, gobe pa narežemo.
b) V ponvi na zmernem ognju segrejte 1 žličko olivnega olja in dodajte por in koromač. Kuhajte 5 min.
c) Dodamo gobe in še naprej pražimo do zlate barve. Prenesite na krožnik/skledo, medtem ko kuhate piščanca. Piščanca narežemo na velike kose.
d) V ponvi na srednje močnem ognju segrejte preostalo 1 žličko oljčnega olja in kuhajte kose piščanca v serijah, dokler ne zlato porjavijo.
e) Kuhane obroke prenesite v isto skledo kot dušeno zelenjavo. Ko je ves piščanec pečen, vrnite piščanca/zelenjavo v ponev in prelijte z belim vinom.
f) Začinimo s soljo, poprom in dodamo posušena zelišča. Zavremo in pustimo vreti na majhnem ognju 10 minut.

g) Koruzno moko/koruzni škrob raztopite v mleku in stresite v ponev. V ponvi nenehno mešamo, dokler se omaka ne zgosti. Odstranite z ognja in postavite na eno stran.

h) Pečico segrejte na 170C z ventilatorjem, 375F, plinska oznaka 5.

i) Vzemite ohlajeno testo in ga med dvema dobro pomokanima listoma namaščenega papirja razvaljajte v obliko, ki je nekoliko večja od vašega pekača za pito.

j) Crème Fresh vmešajte v mešanico piščanca in jo vlijte v pekač za pito. Še vedno v namaščenem papirju obrnite pecivo in odstranite list, ki je sedaj skrajni.

k) S preostalim mastnim papirjem si pomagajte pri prelaganju peciva čez pekač za pite. Obrežite robove in jih stisnite z dvema prstoma in palcem.

l) Če se počutite umetniško, ponovno razvaljajte morebitne obrobe peciva in izrežite 4 oblike listov za okras.

m) Vrh pite namažite z rezervno mešanico jajca/mleka, ki ste jo ohranili pri pripravi peciva, na sredini zarežite majhen križ in okrasite z oblikami peciva.

n) Tudi te premažite z jajčno pasto. Položite na pekač in postavite v pečico.

o) Pecite 45 minut, dokler skorja pite ni zlato rjava in nadev vroč.

## 51. Bučna pita s pridihom ruma

Za 8 obrokov

**SESTAVINE:**
Skorja
- 11/4 skodelice večnamenske moke
- 1/4 čajne žličke soli
- 1/2 žličke sladkorja
- 1/2 skodelice veganske margarine, narezane na majhne koščke
- 3 žlice ledene vode, po potrebi še več
Polnjenje
- 1 (16 unč) pločevinka buče
- 1 paket (12 unč) izredno čvrstega svilenega tofuja, odcejenega in posušenega s tapkanjem
- 1 skodelica sladkorja
- Pripravljena mešanica za nadomestek jajc za 2 jajci (glejte Veganska peka)
- 1 žlica temnega ruma
- 1 žlica koruznega škroba
- 2 žlički mletega cimeta
- 1/2 žličke mletega pimenta
- 1/2 žličke mletega ingverja
- 1/2 čajne žličke mletega muškatnega oreščka

**NAVODILA:**
a) V srednji skledi zmešajte moko, sol in sladkor. Z mešalnikom za pecivo ali vilicami narežite margarino, dokler zmes ne postane podobna grobim drobtinam. Po malem dodajte vodo in mešajte, dokler se testo ne začne držati skupaj. Testo sploščite v okrogel disk in ga zavijte v plastično folijo. Hladite 30 minut, medtem ko pripravite nadev.
b) V kuhinjskem robotu zmešajte bučo in tofu, dokler se dobro ne premešata. Dodajte sladkor, jajčni nadomestek, javorjev sirup, rum, koruzni škrob, cimet, piment, ingver in muškatni orešček ter mešajte, dokler ni gladka in dobro združena.
c) Pečico segrejte na 400°F. Testo razvaljamo na rahlo pomokani delovni površini na približno 10 centimetrov premera. Testo

vstavite v 9-palčni krožnik za pite ter obrežite in nagubajte robove.

d) Nadev vlijemo v skorjo. Pečemo 15 minut, nato zmanjšamo temperaturo pečice na 350°F in pečemo še 30 do 45 minut ali dokler se nadev ne strdi. Pustite, da se na rešetki ohladi na sobno temperaturo, nato pa v hladilniku za 4 ure ali dlje.

## 52. Zelena paradižnikova pita

Naredi: 6 obrokov

**SESTAVINE:**
Pecivo za dvojno skorjo
½ skodelice sladkorja
2 žlički moke
1 limona; naribano lupino
¼ čajne žličke mletega pimenta
¼ čajne žličke soli
4 skodelice zelenega paradižnika: olupite, narežite
1 čajna žlička limoninega soka
3 čajne žličke masla

**NAVODILA:**
a) Pekač za pito obložimo s testom za pito. Zmešajte sladkor, moko, limonino lupinico, piment in sol.
b) Le malo tega potresemo na dno lupine za pito.
c) Rezine paradižnika razporedite eno plast naenkrat, tako da vsako plast prekrijete z mešanico sladkorja, limoninega soka in koščkom masla na vsako rezino.
d) Plasti nadaljujte, dokler ne dosežete vrha pekača za pito.
e) Pokrijte z rešetkastim pokrovom in pecite pri 350°C 45 minut.

## 53.  Špargljeva pita

Naredi: 6 obrokov

**SESTAVINE:**
- 1 paket (8 oz) zamrznjenih špargljev
- 1 skodelica kocke šunke; kuhano
- 1 skodelica pol in pol
- 1 pločevinka (4-oz) gob; izsušeno
- 1 čajna žlička soli
- 3 jajca; rahlo potolčeno
- ⅓ skodelice sesekljane čebule (neobvezno)
- 1 nepečen; 9-palčna skorja za pito

**NAVODILA:**
a) Šparglje skuhamo in dobro odcedimo. V ponvi zmešajte pol in pol, čebulo, gobe in sol. Dušimo 1 minuto. Majhno količino vroče mešanice dodajte jajcem in dobro premešajte. Dodajte mešanici v ponvi in premešajte, da se premeša.
b) V skorjico razporedimo odcejene šparglje in šunko. Prelijemo z vročo mešanico.
c) Po površini lahko rahlo potresemo poper in muškatni orešček. Pečemo pri 400 15 minut; zmanjšajte toploto na 325 in pecite 20-25 minut dlje ali dokler rezilo noža, vstavljeno v sredino pite, ne pride čisto.

# PITE OD OREHOV

## 54. Pecan pita

Za 8 obrokov

**SESTAVINE:**
Skorja
- 11/4 skodelice večnamenske moke
- 1/4 čajne žličke soli
- 1/2 žličke sladkorja
- 1/2 skodelice veganske margarine, narezane na majhne koščke
- žlice ledene vode in po potrebi še več
Polnjenje
- 2 žlici koruznega škroba
- 1 skodelica vode
- 11/4 skodelice čistega javorjevega sirupa
- 1/2 čajne žličke soli
- 2 žlici veganske margarine
- 1 čajna žlička čistega vanilijevega ekstrakta
- 2 skodelici nesoljenih polovic pekanov, opečenih

**NAVODILA:**
a) Naredite skorjo: V veliki skledi zmešajte moko, sol in sladkor. Z mešalnikom za pecivo ali vilicami narežite margarino, dokler zmes ne postane podobna grobim drobtinam. Po malem dodajte vodo in mešajte, dokler se testo ne začne držati skupaj.
b) Testo sploščite v disk in zavijte v plastično folijo. Hladite 30 minut, medtem ko pripravite nadev. Pečico segrejte na 400°F.
c) Pripravite nadev: V majhni skledi zmešajte koruzni škrob in 1/4 skodelice vode ter odstavite. V srednje veliki ponvi zmešajte preostale ¾ skodelice vode in javorjev sirup ter na močnem ognju zavrite. Kuhajte 5 minut, nato dodajte sol in mešanico koruznega škroba ter močno mešajte. Nenehno mešajte in kuhajte na močnem ognju, dokler se zmes ne zgosti in postane bistra. Odstavite z ognja in vmešajte margarino in vanilijo.
d) Testo razvaljamo na rahlo pomokani delovni površini na približno 10 centimetrov premera. Testo vstavite v 9-palčni krožnik za pite. Testo obrežemo in robove zavihamo. Na dnu

testa z vilicami prebodemo luknje. Pecite do zlate barve, približno 10 minut, nato vzemite iz pečice in postavite na stran. Zmanjšajte temperaturo pečice na 350 °F.

e) Ko je margarina stopljena, nadev vlijemo v spečeno skorjo. Polovico orehov orehov razporedite v nadev, jih potisnite v zmes in preostalo polovico razporedite po vrhu pite. Pečemo 30 minut. Ohladite na rešetki približno 1 uro, nato pa v hladilniku, dokler se ne ohladi.

## 55.  Lešnikova pita z belo čokolado

Za 8 obrokov

**SESTAVINE:**
- 11/2 skodelice veganskih vanilijevih ali čokoladnih piškotnih drobtin
- 1 skodelica veganskih koščkov ali koščkov bele čokolade
- 1/4 skodelice vode
- 2 žlici Frangelico (lešnikov liker)
- 8 unč izjemno čvrstega svilenega tofuja, odcejenega
- 1/4 skodelice agavinega nektarja
- 1 čajna žlička čistega vanilijevega ekstrakta
- 1/2 skodelice zdrobljenih praženih lešnikov za okras
- 1/2 skodelice svežih jagod, za okras

**NAVODILA:**
a) Namastite 8-palčni krožnik za pito ali vzmetni model in ga postavite na stran.
b) V kuhinjskem robotu zmešajte piškotne drobtine in margarino ter stepajte, dokler se drobtine ne navlažijo.
c) Mešanico drobtin vtisnite na dno in stranice pripravljenega pekača. Hladite, dokler ni potrebno.
d) Belo čokolado stopite v dvojnem kotlu na majhnem ognju in nenehno mešajte. Dati na stran.
e) V hitrem blenderju zmeljemo indijske oreščke v prah. Dodajte vodo in Frangelico ter mešajte, dokler ni gladka. Dodajte tofu, agavin nektar in vanilijo ter mešajte do gladkega. Dodamo stopljeno belo čokolado in pomešamo, da postane kremasta.
f) Zmes razporedite po pripravljeni pekaču. Pokrijte in ohladite 3 ure, dokler se dobro ne ohladi.
g) Za serviranje okrasite z zdrobljenimi lešniki in svežimi jagodami.

## 56.   Enostavna kokosova pita brez glutena

Skupni čas: 52 minut

Naredi: 6-8

## SESTAVINE:

- 2 jajci

- 1 1/2 skodelice mleka

- 1/4 skodelice masla

- 1 1/2 čajne žličke izvleček vanilije

- 1 skodelica naribanega kokosa (uporabila sem sladkanega)

- 1/2 skodelice Monk Fruit (ali vaš najljubši sladkor)

- 1/2 skodelice kokosove moke

## NAVODILA:

a) 6-palčni krožnik za pito premažite s sprejem proti prijemanju in ga napolnite s testom. Nadaljujte po enakih navodilih kot zgoraj

b) Kuhajte v cvrtniku Air Fryer pri 350 stopinjah 10 do 12 minut.

c) polovici časa pečenja preverite pito, da se prepričate, da se ne zažge, obrnite krožnik in z zobotrebcem preverite pečenost.

## 57. B pomanjkanje orehove ovsene pite

Naredi: 1 obrok

**SESTAVINE:**
- 3 jajca, rahlo stepena
- 1 skodelica rjavega sladkorja, pakirano
- ½ skodelice temnega koruznega sirupa
- ½ skodelice evaporiranega mleka
- ½ skodelice ovsenih kosmičev za hitro kuhanje
- ½ skodelice grobo sesekljanih črnih orehov
- ¼ skodelice (4 žlice) masla, stopljenega
- 1 čajna žlička vanilije
- Sol
- Nepečeno pecivo za pito iz ene skorje

**NAVODILA:**
a) V veliki posodi za mešanje zmešajte jajca, sladkor, sirup, mleko, oves, orehe, maslo, vanilijo in ⅛ čajne žličke soli ter dobro premešajte.

b) Podložite 9-palčni krožnik za pite s pecivom, obrobo in robom. Krožnik postavite na rešetko pečice in vlijte nadev. Rob pite zaščitite s folijo, da preprečite preveč porjavitev. Pečemo pri 350 F 25 minut. Odstranimo folijo.
c) Pecite še približno 25 minut ali dokler vrh ni globoko zlato rjav in rahlo napihnjen.
d) Nadev naj bo nekoliko mehak, a se bo strdil, ko se ohladi.
e) Povsem ohladite.

## 58. Pita iz želoda

Naredi: 1 obrok

**SESTAVINE:**
- 3 čvrste beljake
- 1 čajna žlička pecilnega praška
- 1 skodelica sladkorja
- 1 čajna žlička vanilije
- 20 soda krekerjev
- (zdrobljen grob)
- ½ skodelice pekanov, sesekljanih

**NAVODILA:**
a) Iz beljakov stepemo trd sneg; dodajte pecilni prašek in še stepajte.
b) Dodajte sladkor in vanilijo; ponovno premagati.
c) Zložite krekerje in orehe. Položimo v namaščen krožnik za pito in pečemo 30 minut pri 300 stopinjah.
d) Pustite, da se ohladi in na vrh potresite Cool Whip in sesekljane orehe.

## 59. Mandljeva makronska češnjeva pita

Naredi: 6 obrokov

**SESTAVINE:**
- 1 lupina za pito, 9 palcev, nepečena
- 21 unč nadeva za češnjevo pito
- ½ čajne žličke cimeta
- 1 skodelica kokosa
- ½ skodelice mandljev, narezanih
- ¼ skodelice sladkorja
- ⅛ čajne žličke soli (neobvezno)
- ⅛ čajne žličke soli (neobvezno)
- 1 čajna žlička limoninega soka
- ¼ skodelice mleka
- 1 žlica masla, stopljenega
- ¼ čajne žličke mandljevega ekstrakta
- 1 vsako jajce, pretepljeno

**NAVODILA:**

a) Pečico segrejte na 400 F. Razvaljajte testo za pito in ga položite v 9-palčni pekač za pite. V veliki skledi zmešajte nadev za pito, cimet, sol in limonin sok. Rahlo premešamo. Položite v pekač za pito, obložen s skorjo.

b) Pečemo 20 minut.

c) Medtem združite vse sestavine za preliv v srednji skledi in mešajte, dokler se ne zmešajo. Po 20 minutah pito vzemite iz pečice, enakomerno razporedite preliv po površini in pito vrnite v pečico.

d) Pecite dodatnih 15 do 30 minut ali dokler skorja in preliv nista zlato rjava.

## 60. <u>Amaretto čokoladna pita</u>

Naredi: 8 obrokov

**SESTAVINE:**
- 3 jajca
- ¾ skodelice temnega koruznega sirupa
- ½ skodelice sladkorja
- ¼ skodelice amaretta
- 2 žlici masla; stopljeno
- ½ čajne žličke soli
- ½ skodelice čokoladnih koščkov, polsladkih
- ½ skodelice mandljev, narezanih
- 1 skorja za pito; nepečen
- Stepena smetana ali sladoled

**NAVODILA:**
a) Pečico segrejte na 350 stopinj. V veliki skledi za mešanje stepajte jajca, dokler se ne zmešajo. Vmešajte koruzni sirup, sladkor, amaretto, maslo in sol. Dodajte koščke čokolade in mandlje.
b) Vlijemo v nepečeno skorjo za pito.
c) Pecite 50 do 60 minut, dokler nož, vstavljen med sredino in rob pite, ne izstopi čist. Povsem ohladite.
d) Postrezite s stepeno smetano ali sladoledom.

## 61.  S nickers bar pita

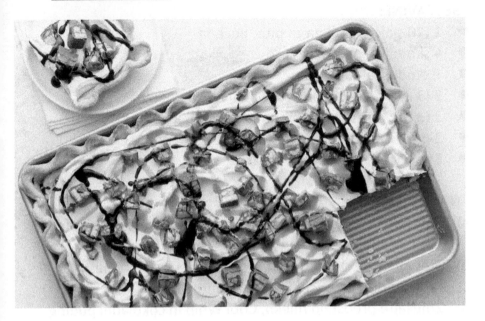

Naredi: 1 obrok

**SESTAVINE:**
- 1 (10-palčna) lupina za pito, pečena
- 4 skodelice mleka
- 1 skodelica Cool Whip
- 2 (3 3/4 oz.) škatli instant vaniljevega pudinga
- 3 (3 3/4 oz.) škatle instant čokoladnega pudinga
- 3 ploščice Snickers, narezane na 1/2 inčne kose
- Cool Whip in arašidi za okras

**NAVODILA:**
a) Zmešajte 1½ skodelice mleka, vaniljev puding in ½ skodelice Cool Whipa.
b) Stepajte do zelo gladkega. Zložite koščke sladkarije.
c) Razporedite po pečeni lupini za pito.
d) Zmešajte preostalo mleko, Cool Whip in čokoladni puding.
e) Stepajte do gladkega.
f) Nanesite na vrh vanilijeve plasti. Okrasite.
g) Ohladite.

## 62. Češnjevo lešnikova hrustljava pita

Naredi: 1 pito

**SESTAVINE:**
- ½ zavitka (10 oz.) mešanice za skorjo za pito
- ¼ skodelice pakiranega svetlo rjavega sladkorja
- ¾ skodelice praženih oregonskih lešnikov, sesekljanih
- 1 unča naribane polsladke čokolade
- 4 čajne žličke vode
- 1 čajna žlička vanilije
- 8 unč rdečih češenj maraskino
- 2 čajni žlički koruznega škroba
- ¼ skodelice vode
- 1 črtica soli
- 1 žlica Kirsch (neobvezno)
- 1 liter vanilijevega sladoleda

**NAVODILA:**
a) Zmešajte (½ paketa) mešanico za skorjo za pito s sladkorjem, oreščki in čokolado z mešalnikom za pecivo. Zmešajte vodo z vanilijo. Potresemo po mešanici drobtin in mešamo, dokler se dobro ne zmeša.
b) Obrnite se v dobro namaščen 9-palčni krožnik za pito; zmes trdno pritisnite ob dno in stran. Pečemo v pečici pri 375 stopinjah 15 minut.
c) Ohladite na rešetki. Pokrijte in pustite stati nekaj ur ali čez noč. Češnje odcedite, sirup prihranite. Češnje grobo nasekljajte.
d) V ponvi zmešajte sirup s koruznim škrobom, ¼ skodelice vode in soljo; dodajte češnje. Kuhajte na nizki temperaturi, dokler ni jasno. Odstranite z ognja in temeljito ohladite.
e) Dodajte Kirsch in ohladite. Sladoled nadevajte v lupino za pito.
f) Pito prelijemo s češnjevo glazuro in takoj postrežemo.

# ZELIŠČNE IN CVETLIČNE PITE

## 63. Espresso pita s čokoladno meto

Za 6 do 8 obrokov

**SESTAVINE:**

- 2 skodelici veganskih čokoladnih piškotov ali čokoladnih sendvič piškotov z okusom mete
- 1 (12 unč) paket veganskih polsladkih čokoladnih koščkov
- 1 paket (12,3 unče) čvrstega svilenega tofuja, odcejenega in zdrobljenega
- 2 žlici čistega javorjevega sirupa ali agavinega nektarja
- 2 žlici navadnega ali vanilijevega sojinega mleka
- 2 žlici crème de menthe
- 2 žlički instant espressa v prahu

**NAVODILA:**

a) Pečico segrejte na 350°F. 8-palčni krožnik za pito rahlo naoljite in ga postavite na stran.

b) Če uporabljate sendvič piškote, jih previdno razstavite, kremni nadev pa postavite v ločeno skledo. Piškote na drobno zmeljemo v kuhinjskem robotu. Dodajte vegansko margarino in mešajte, dokler se dobro ne premeša.

c) Mešanico drobtin vtisnite na dno pripravljenega pekača. Pečemo 5 minut. Če uporabljate sendvič piškote, ko je skorja še vroča, po vrhu skorje namažite prihranjen kremni nadev. Odstavite, da se ohladi, za 5 minut.

d) Čokoladne koščke stopite v dvojnem kotlu ali mikrovalovni pečici. Dati na stran.

e) V mešalniku ali kuhinjskem robotu zmešajte tofu, javorjev sirup, sojino mleko, crème de menthe in espresso v prahu. Postopek do gladkega

f) Stopljeno čokolado vmešajte v mešanico tofuja, dokler se popolnoma ne premeša. Nadev razporedite v pripravljeno skorjo. Pred serviranjem hladite vsaj 3 ure, da se strdi.

## 64. Pite z rožmarinom, klobasami in sirom

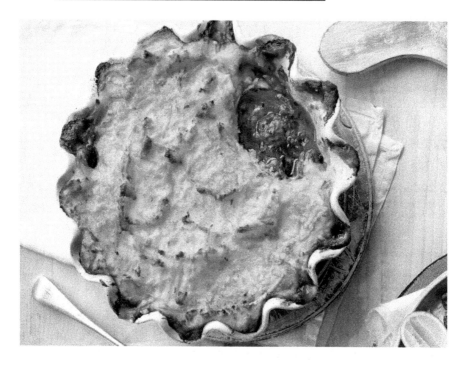

Naredi: 2

**SESTAVINE:**
- ¾ skodelice cheddar sira, naribanega
- ¼ skodelice kokosovega olja
- 5 rumenjakov
- ½ žličke rožmarina
- ¼ žličke sode bikarbone
- 1 ½ piščančje klobase
- ¼ skodelice kokosove moke
- 2 žlici kokosovega mleka
- 2 žlički limoninega soka
- ¼ žličke kajenskega popra
- 1/8 žličke košer soli

**NAVODILA:**
a) Pečico nastavite na 350 F.
b) Narežite klobaso, segrejte ponev in skuhajte klobaso. Medtem ko se klobase kuhajo, zmešajte vse suhe sestavine v skledi. V drugi skledi zmešajte limonin sok, olje in kokosovo mleko. Dodajte tekočino v suho mešanico in dodajte ½ skodelice sira; zložite, da jih združite in dajte v 2 ramekina.
c) Masi dodamo kuhane klobase in jih z žlico vtisnemo v zmes.
d) Pečemo 25 minut, da na vrhu zlato porumeni. Na vrh potresemo ostanke sira in pražimo 4 minute.
e) Postrežemo toplo.

## 65. Limonina mačehova pita

Naredi: 8 obrokov

**SESTAVINE:**
- Testo za pecivo
- 2 jajci
- 3 rumenjaki
- ¾ skodelice sladkorja
- ½ skodelice limoninega soka
- 1 žlica naribane limonine lupinice
- 1 skodelica težke smetane
- 1 paket želatine brez okusa
- ¼ skodelice vode
- Kristalizirane mačehe

**NAVODILA:**
a) V 1-litrski ponvi z žično metlico stepite jajca, rumenjake, sladkor, limonin sok in lupinico.
b) Na majhnem ognju ob stalnem mešanju z leseno kuhalnico kuhamo toliko časa, da se zmes zgosti in oblije žlico približno 10 minut.
c) Precedimo in odstavimo.
d) Ko je pecivo ohlajeno, segrejte pečico na 400'F. Med 2 listoma pomokanega povoščenega papirja razvaljajte pecivo na 11-palčni krog. Odstranite zgornji list papirja in obrnite pecivo v 9-palčni krožnik za pito, tako da presežek sega čez rob.
e) Odstranite preostali list povoščenega papirja. Odvečno pecivo zapognemo spodaj, tako da je enakomerno z robom krožnika.
f) Z vilicami prebodite dno in celotno stran peciva, da preprečite krčenje. Pecivo obložite z aluminijasto folijo in napolnite s nekuhanim suhim fižolom ali obtežili za pite.
g) Skorjo pecite 15 minut, odstranite folijo s fižolom in pecite 10 do 12 minut dlje oziroma dokler skorja ne zlato porumeni. Skorjo popolnoma ohladite na rešetki.
h) Ko se skorja testa ohladi, stepite smetano do mehkih vrhov in jo odstavite.

i) V ponvi zmešajte želatino in vodo ter segrevajte na majhnem ognju in mešajte, dokler se želatina ne raztopi.

j) Zmes želatine vmešamo v ohlajeno mešanico limon. Stepeno smetano vmešajte v mešanico limon, dokler se ne zmeša. Nadev z limonino kremo razporedite po skorji peciva in ga postavite v hladilnik za 2 uri ali dokler se ne strdi.

k) Preden postrežemo, po želji ob rob in sredino pite položimo mačehe.

# MESNE IN PIŠČANČJA PITE

## 66.   Jajčne pite za zajtrk

Naredi: 4

**SESTAVINE:**
- 250 g pripravljenega vlečenega listnatega testa
- 4 jajca proste reje
- 2 narezani gobi
- 6-8 rezin narezane slanine
- Češnjev paradižnik
- Svež timijan
- Posušeni dimljeni čilijevi kosmiči
- H in pol g sira po vaši izbiri

**Navodila**
a) Najprej pustite, da se pečica ohladi, dokler ne doseže približno 180 °C.
b) Listnato testo razrežemo na štiri kvadrate in položimo na pekač, obložen s peki papirjem za visoko vročino.
c) Pecite 10 minut oziroma dokler pecivo ne nabrekne in začne postajati zlato rjave barve.
d) Popecite svojo slanino . Ko se slanina začne kuhati, dodajte gobe in kanček oljčnega olja.
e) Ko pite vzamete iz pečice na drva, pritisnite sredino vsake, da se stranice rahlo dvignejo.
f) Na vrh položite slanino in gobe, nato pa izdatno potresite sir. Dodajte nekaj češnjevih paradižnikov ob straneh, če se počutite drzni.
g) V pečici na drva razbijte jajce v sredino vsake pite in kuhajte še 10-15 minut.
h) Ko so jajca pečena, jih odstranite iz ponve in uživajte v okusnem zajtrku!

## 67.  Pite s sirom in klobasami

Naredi: 2

**SESTAVINE:**
- 1 ½ kosa piščančje klobase
- ½ žličke rožmarina
- ¼ žličke sode bikarbone
- ¼ skodelice kokosove moke
- ¼ žličke kajenskega popra
- 1/8 žličke soli
- 5 rumenjakov
- 2 žlički limoninega soka
- ¼ skodelice kokosovega olja
- 2 žlici kokosovega mleka
- ¾ cheddar sira, naribanega

**NAVODILA:**
a) Pečico nastavite na 350 F.
b) Narežite klobaso, segrejte ponev in skuhajte klobaso. Medtem ko se klobase kuhajo, zmešajte vse suhe sestavine v skledi. V drugi skledi zmešamo rumenjake, limonin sok, olje in kokosovo mleko. Dodajte tekočino v suho mešanico in dodajte ½ skodelice sira; zložite, da jih združite in dajte v 2 ramekina.
c) Masi dodamo kuhane klobase in jih z žlico vtisnemo v zmes.
d) Pečemo 25 minut, da na vrhu zlato porumeni. Na vrh potresemo ostanke sira in pražimo 4 minute.
e) Postrežemo toplo.

## 68. <u>Rožmarin, piščančje klobase</u>

Naredi: 2

**SESTAVINE:**
- ¾ skodelice cheddar sira, naribanega
- ¼ skodelice kokosovega olja
- 5 rumenjakov
- ½ žličke rožmarina
- 1/4 žličke sode bikarbone
- 1 ½ piščančje klobase
- ¼ skodelice kokosove moke
- 2 žlici kokosovega mleka
- 2 žlički limoninega soka
- 1 žlička kajenskega popra
- 1/8 žličke košer soli

**NAVODILA:**
a) Pečico nastavite na 350 F.
b) Narežite klobaso, segrejte ponev in skuhajte klobaso. Medtem ko se klobase kuhajo, zmešajte vse suhe sestavine v skledi. V drugi skledi zmešajte limonin sok, olje in kokosovo mleko. Dodajte tekočino v suho mešanico in dodajte ½ skodelice sira; zložite, da jih združite in dajte v 2 ramekina.
c) Masi dodamo kuhane klobase in jih z žlico vtisnemo v zmes.
d) Pečemo 25 minut, da na vrhu zlato porumeni. Na vrh potresemo ostanke sira in pražimo 4 minute.
e) Postrežemo toplo.

## 69.  Piščančja pita

Naredi: 5

**SESTAVINE:**
- ½ funta piščančjih beder brez kosti, narezanih na majhne koščke
- 3,5 oz slanine, sesekljane
- 1 korenček, sesekljan
- ¼ skodelice sesekljanega peteršilja
- 1 skodelica težke smetane
- 2 čebuli pora, sesekljani
- 1 skodelica belega vina
- 1 žlica oljčnega olja
- Sol in poper po okusu

**ZA SKORICO**
- 1 skodelica mandljevega obroka
- 2 žlici vode
- 1 žlica stevije
- 1½ žlice masla
- ½ žličke soli

**NAVODILA:**
a) Najprej pripravite skorjo tako, da zmešate vse njene sestavine . Dati na stran.
b) V ponvi na srednje močnem ognju segrejte olivno olje. Vanj stresemo nasekljan por in premešamo. Prestavimo na krožnik.
c) Vanj stresemo piščančje meso in slanino ter popečemo do rjave barve in dodamo por.
d) Dodamo korenje in zalijemo z belim vinom ter nato zmanjšamo ogenj na srednje.
e) Dodamo peteršilj in dobro premešamo smetano. Prestavimo v pekač.
f) Pokrijemo s pripravljeno skorjo in postavimo v pečico, da se peče, dokler skorja ne postane zlato rjava in hrustljava.
g) Pred serviranjem pustite počivati 20 minut.

## 70.  <u>M oska pita</u>

Naredi: 1 obrok

**SESTAVINE:**
- 1½ funta losovega zrezka, narezanega na 1/2 c. moka
- 1 srednja čebula, sesekljana
- 1 strok mletega česna
- 3 žlice olja
- 2 skodelici vode
- 2 žlici Worcestershire omake
- 1 čajna žlička majarona
- 1 čajna žlička timijana
- 1 čajna žlička semen zelene
- 1 čajna žlička soli
- ½ čajne žličke popra
- 1 lovorjev list
- Na kocke narezan krompir & korenje
- Zamrznjen grah ali stročji fižol
- Skorja za pito

**NAVODILA:**
a) Na kocke narezan zrezek stresemo v plastično vrečko z moko, po nekaj kock naenkrat.
b) Na segretem olju zarumenimo losa ter čebulo in česen, da losa porjavi. Dodamo vodo, zelišča, Worcestershire omako, sol in poper.
c) Zavremo, zmanjšamo toploto, pustimo vreti 1½ ure. Dodamo krompir in korenje, kuhamo še približno 30 do 45 minut. Dodajte grah. Vlijemo v pekač za pito. Pokrijte s skorjo za pito, zaokrožite rob, na vrhu zarežite reže.
d) Pečemo 15 do 20 minut oziroma dokler se skorja lepo ne zapeče.

# ŽITNE IN TESTENINSKE PITE

## 71. Ne-tako-Corny tamale pita

Naredi: 8

**SESTAVINE:**
- 2 žlički rastlinskega olja ali po potrebi
- 1 majhna čebula, sesekljana
- 1 ½ funta mlete govedine
- 1 (15 unč) pločevinka pinto fižola, splaknjena in odcejena
- 1 (15 unč) pločevinka črnega fižola, opranega in odcejenega
- ½ skodelice mešanice naribanega mehiškega sira
- 1 (14 unč) pločevinka na kocke narezanega paradižnika z zeleno čili papriko
- 2 (8,5 unč) paketa mešanice za koruzni kruh
- ⅔ skodelice mleka
- 2 veliki jajci

**Navodila**
a) Pečico segrejte na 400 stopinj F (200 stopinj C).
b) Segrejte olje v ponvi iz litega železa na srednje visoki vročini; pražite čebulo, dokler rahlo ne porjavi, 5 do 10 minut. Dodajte mleto govedino; kuhajte in mešajte, dokler govedina ne porjavi in drobljivo, 5 do 10 minut. Zmešajte pinto fižol in črni fižol v mešanico govejega mesa.
c) Mešanico mehiškega sira potresemo po mešanici govejega fižola; premešamo. Zmešajte na kocke narezan paradižnik zelene čili paprike v mešanico govejega fižola.
d) Zmešajte mešanico za koruzni kruh, mleko in jajca v skledi, dokler testo ni gladko. Širjenje testo na vrhu mešanice govejega fižola.
e) Pečemo v predhodno ogreti pečici, dokler se v sredino koruznega kruha ne zapiči zobotrebec pride ven čisto, 15 do 20 minut.

## 72.   S paghetti pita z mesnimi kroglicami

Naredi: 4-6

**SESTAVINE:**
- 1 - 26 oz. vrečka govejih mesnih kroglic
- 1/4 skodelice sesekljane zelene paprike
- 1/2 skodelice sesekljane čebule
- 1 - 8 oz. paket špagetov
- 2 jajci, rahlo stepeni
- 1/2 skodelice naribanega parmezana
- 1-1/4 skodelice naribanega sira mozzarella
- 26 oz. kozarec omake za špagete

**NAVODILA:**
a)   Pečico segrejte na 375ºF. Pražite papriko in čebulo, dokler se ne zmehčata, približno 10 minut. Dati na stran.

b)   Špagete skuhamo, odcedimo in splaknemo s hladno vodo ter osušimo. Postavite v veliko skledo za mešanje.

c)   Dodajte jajca in parmezan ter premešajte, da se združi. Mešanico pritisnite na dno razpršenega 9-palčnega krožnika za pite. Na vrh potresemo 3/4 skodelice naribanega sira mocarela. Zamrznjene mesne kroglice odtalite v mikrovalovni pečici 2 minuti.

d) Vsako mesno kroglico prerežite na pol. Polovičke mesnih kroglic položite čez sirno mešanico. Omako za špagete zmešajte s kuhano papriko in čebulo.

e) Z žlico prelijte plast mesnih kroglic. Rahlo pokrijte s folijo in pecite 20 minut.

f) Odstranite iz pečice in po mešanici omake za špagete potresite 1/2 skodelice mocarele.

g) Nadaljujte s peko nepokrito še 10 minut, dokler ne postane mehurčkasto. Narežemo na kolesca in postrežemo.

## 73. Sezamova pita s špinačnimi rezanci

Za 4 porcije

- ¾ skodelice tahinija (sezamove paste)
- 3 stroki česna, grobo sesekljani
- 3 žlice mehke bele miso paste
- 3 žlice svežega limoninega soka
- 1/4 čajne žličke mletega kajenskega lista
- 1 skodelica vode
- 8 unč linguina, razdeljenega na tretjine
- 9 unč sveže mlade špinače
- 1 žlica praženega sezamovega olja
- 2 žlici sezamovih semen

**NAVODILA:**

a) Pečico segrejte na 350°F. V kuhinjskem robotu zmešajte tahini, česen, miso, limonin sok, kajensko papriko in vodo ter obdelajte do gladkega. Dati na stran.

b) Linguine kuhajte v veliki ponvi z vrelo slano vodo, občasno premešajte, dokler niso al dente, približno 10 minut. Dodajte špinačo in mešajte, dokler ne oveni, približno 1 minuto.

c) Dobro odcedite in nato vrnite v lonec. Dodajte olje in tahini omako ter dobro premešajte.

d) Mešanico prenesite v 9-palčni globok krožnik za pite ali okrogel pekač. Potresemo s sezamovimi semeni in pečemo do vročine, približno 20 minut. Postrezite takoj.

## 74. Italijanska pita s špageti

Naredi: 4 porcije

**SESTAVINE:**
- 6 unč špagetov
- 2 žlici masla ali margarine
- ⅓ skodelice naribanega parmezana
- 2 Dobro stepena jajca
- 1 skodelica skute
- 1 funt mlete goveje ali svinjske klobase
- ½ skodelice sesekljane čebule
- ¼ skodelice sesekljane zelene paprike
- 1 (8 oz.) konzerva paradižnikov, zdrobljenih
- 1 (6 oz.) pločevinka paradižnikove paste
- 1 čajna žlička sladkorja
- 1 čajna žlička zdrobljenega posušenega origana
- ½ čajne žličke česnove soli
- ½ skodelice naribanega sira mozzarella

**NAVODILA:**
a) Špagete skuhamo in odcedimo - v vroče špagete vmešamo maslo ali margarino. Vmešajte parmezan in jajca. Zmes za špagete oblikujte v skorjo v z maslom namazanem 10-palčnem krožniku za pito.
b) Po dnu špagetne skorje namažemo skuto. V ponvi kuhajte mleto govedino, čebulo in zeleno papriko, dokler se zelenjava ne zmehča in meso porjavi.
c) Odcedite odvečno maščobo. Primešamo neodcejene paradižnike, paradižnikovo mezgo, sladkor, origano in sol. Temeljito segrejte. Mesno mešanico spremenite v skorjo.
d) Pečemo nepokrito v pečici pri 350 stopinjah 20 minut. Potresemo mocarelo. Pečemo 5 minut ali dokler se sir ne stopi.

## 75.  <u>Koruzna pita</u>

Naredi: 8 obrokov

**SESTAVINE:**
- ½ skodelice margarine ali drugega masti
- 1 čajna žlička vanilije
- 1 skodelica mleka ali mlečnega nadomestka
- 3 jajca ali 1 celo jajce in 3 beljaki
- 1 skodelica moke
- 1 čajna žlička pecilnega praška
- 1 črtica soli (neobvezno)
- 2 pločevinki (16 oz) kremne koruze

**NAVODILA:**
a) Dodajte vse sestavine razen koruze in dobro premešajte.
b) Dodajte koruzo, premešajte.
c) Pečemo pri 350 stopinjah, dokler niso čvrsti, približno eno uro.

# ZAČIMLJIVE PITE

## 76.  Staromodna karamelna pita

Naredi: 1 - 9-palčno pito

**SESTAVINE:**
- 1 (9 palcev) lupina za pito, pečena
- 1 skodelica belega sladkorja
- ⅓ skodelice večnamenske moke
- ⅛ čajne žličke soli
- 2 skodelici mleka
- 4 veliki rumenjaki stepani rumenjaki
- 1 skodelica belega sladkorja

**Navodila**

a) V srednje veliki ponvi zmešajte 1 skodelico sladkorja, moko, sol, mleko in rumenjake ter mešajte do gladkega. Kuhajte na srednjem ognju, dokler ne postane gosta in mehurčkasta, ob stalnem mešanju. Odstranite z ognja in odstavite.

b) Preostalo 1 skodelico sladkorja stresite v 10-palčno ponev iz litega železa. Na zmernem ognju ob stalnem mešanju kuhamo toliko časa, da sladkor karamelizira.

c) Odstavite z ognja in previdno vlijte v mešanico tople smetane. Mešajte do gladkega. Zmes vlijemo v pecivo. Povsem ohladite in postrezite s stepeno smetano

## 77. Jabolčna pita s cimetom in sladkorjem

Naredi: 10

**SESTAVINE:**
- 2-1/2 skodelice večnamenske moke
- 1/2 čajne žličke soli
- 1-1/4 skodelice hladne masti
- 6 do 8 žlic hladnega 2% mleka

**POLNJENJE:**
- 2-1/2 skodelice sladkorja
- 1 čajna žlička mletega cimeta
- 1/2 čajne žličke mletega ingverja
- 9 skodelic na tanke rezine narezanih olupljenih trpkih jabolk (približno 9 srednje velikih)
- 1 žlica burbona, neobvezno
- 2 žlici večnamenske moke
- Dash sol
- 3 žlice hladnega masla, narezanega na kocke
- 1 žlica 2% mleka
- 2 žlički grobega sladkorja

**Navodila**

a) V veliki skledi zmešamo moko in sol; narežemo na mast, dokler ne postanejo drobtine. Postopoma dodajajte mleko in premetavajte z vilicami, da se testo ob pritisku drži skupaj. Testo razdelite na pol. Vsako oblikujte v disk; zaviti v plastiko. Hladite 1 uro ali čez noč.

b) Za nadev v veliki skledi zmešamo sladkor, cimet in ingver. Dodajte jabolka in premešajte. pokrov; pustimo stati 1 uro, da jabolka spustijo sok, občasno premešamo.

c) Jabolka odcedimo, sirup prihranimo. V majhno ponev dajte sirup in po želji burbon; zavrite. Zmanjšajte toploto; dušite nepokrito 20-25 minut ali dokler se mešanica rahlo ne zgosti in postane srednje jantarne barve. Odstranite z ognja; popolnoma ohladi.

d) Pečico segrejte na 400°. Odcejena jabolka potresemo z moko in soljo. Na rahlo pomokani površini razvaljajte eno polovico testa v 1/8-in.-debel krog; prenos na 10-in. litoželezna ali druga globoka ponev, primerna za pečico. Pecivo obrežemo tudi z robom. Dodajte jabolčno mešanico. Po vrhu prelijemo ohlajen sirup; pokapaj z maslom.

e) Preostalo testo razvaljamo v 1/8-in.-debel krog. Postavite čez nadev. Obrezovanje, tesnjenje in piščali rob. Izrežite reže na vrhu. Mleko nanesite na pecivo; potresemo z grobim sladkorjem. Postavite na s folijo obložen pekač. Pečemo 20 minut.

f) Zmanjšajte nastavitev pečice na 350°. Pecite 45-55 minut dlje ali dokler skorja ni zlato rjava in nadev mehurčkast. Ohladite na rešetki.

# 78.   Slana karamelna jabolčna pita Dirty Skillet

Naredi: 7 obrokov

**SESTAVINE:**
**SKORA ZA PITO (NAREDI 2 SKORI):**
- 2 ½ skodelice večnamenske moke
- 1 čajna žlička košer soli
- 1 žlica granuliranega sladkorja
- ½ funta hladnega nesoljenega masla
- 1 skodelica hladne vode
- ¼ skodelice jabolčnega kisa

**KARAMELA (ZADOSTAJE ZA 2 PITI):**
- 1 skodelica granuliranega sladkorja
- ¼ skodelice nesoljenega masla
- ½ skodelice težke smetane za stepanje
- ½ čajne žličke morske soli

**NADEV ZA JABOLČNO PITO (ZADOSTAVA ZA 1 PITO):**
- 3 funte jabolk Granny Smith
- 1 žlica granuliranega sladkorja
- Limonin sok, po potrebi (približno ¼ skodelice)
- 2-3 kapljice grenčice Angostura
- ⅓ skodelice surovega sladkorja
- ¼ čajne žličke mletega cimeta
- ¼ čajne žličke mletega pimenta
- Ščepec sveže naribanega muškatnega oreščka
- ¼ čajne žličke košer soli
- 2 žlici večnamenske moke
- 2 žlici koruznega škroba
- 1 jajce (za pranje jajc)
- Sladkor v surovem stanju za zaključek

**NAVODILA:**
**ZA PITO SKORIJO:**
a) V skledi zmešamo moko, sol in sladkor.
b) S strgalnikom za sir naribajte hladno maslo v mešanico moke.
c) Ločeno zmešajte vodo in kis v majhni skledi. Hraniti na hladnem.

d)  Z rokami premešajte in počasi dodajte 2 žlici mešanice vode/kisa v mešanico moke, dokler se ne združi. nekaj
e)  lahko ostanejo suhi koščki; to je v redu.
f)  Testo razdelite na 2 dela in vsak del posebej zavijte v plastično folijo. Postavite v hladilnik za vsaj eno uro ali čez noč.
g)  En del ohlajenega testa za pito posebej razvaljajte (vsak del je ena skorja) na rahlo pomokano površino.
h)  Zvito skorjo položite v 9-palčni namaščen pekač za pito.

**ZA KARAMELO:**

i)  V kozici na majhnem ognju stopimo sladkor. NE pustite, da se zažge.
j)  Ko se sladkor stopi, odstavite z ognja. Stepemo maslo.
k)  Vmešajte močno smetano za stepanje in morsko sol.
l)  Naj se ohladi.

**ZA NADEV JABOLČNE PITE:**

m)  Jabolka olupimo, odstranimo sredico in nasekljamo. Postavite v 8-litrsko posodo. Vsak kos prelijemo z limoninim sokom in 1 žlico granuliranega sladkorja.
n)  Jabolka potresemo z grenčicami, surovim sladkorjem, mletim cimetom, pimentom, muškatnim oreščkom, košer soljo, večnamensko moko in koruznim škrobom.
o)  Dobro premešaj.
p)  Tesno položite jabolka v pripravljeno lupino za pito, pri čemer jabolka rahlo zabodite v sredino.
q)  Jabolka enakomerno prelijemo s ¾ skodelice ohlajene karamelne omake.
r)  Razvaljajte preostalo testo za skorjo za pito kot zgornjo skorjo za pito; po želji ustvarite mrežo. Robove dveh skorij za pito stisnite skupaj.
s)  Pred peko pito ohladite 10-15 minut.
t)  Pečemo 20 minut pri 400 stopinjah; pečemo dodatnih 30 minut pri 375 stopinjah. Pito obvezno obrnite, če med peko na enem robu potemni.
u)  Pustite, da se ohladi 2-3 ure, preden postrežete. Narežemo na 7 rezin.

## 79. Jajčne parfe pite

Naredi: 6 obrokov

**SESTAVINE:**
- 1 zavitek želatine z okusom limone
- 1 skodelica tople vode
- 1-pinta vaniljevega sladoleda
- ¼ čajne žličke muškatnega oreščka
- ¾ čajne žličke arome ruma
- 2 Dobro stepena rumenjaka
- 2 trdo stepena beljaka
- 4 do 6 pečenih lupin za torte
- Stepena smetana Candy decorettes

**NAVODILA:**
a) Želatino raztopimo v vroči vodi.
b) Sladoled narežemo na 6 kosov, dodamo želatini in mešamo, dokler se ne stopi. Ohladite, dokler se delno ne strdi.
c) Dodajte muškatni orešček in aromo.
d) Rumenjake vmešamo, vmešamo še beljakov sneg.
e) Vlijemo v ohlajene torte in ohladimo, dokler se strdi.
f) Prelijemo s stepeno smetano in potresemo s sladkarijami.

## 80. Tiramisu pita z bučnimi začimbami

Naredi: eno 9-palčno pito

**SESTAVINE:**
- 1 ½ skodelice težke smetane
- 2 veliki jajci, ločeni
- ⅓ skodelice plus 1 žlica sladkorja
- 1 skodelica mascarponeja, pri sobni temperaturi
- ½ skodelice konzerviranega bučnega pireja
- 1 ½ žličke začimbe za bučno pito
- 1 ½ skodelice kuhanega espressa, pri sobni temperaturi
- 5,3-unčni paket ladyfingers
- Grenka ali polsladka čokolada, za britje

**NAVODILA:**
a) V skledi stoječega mešalnika, opremljenega z nastavkom za stepanje, stepajte smetano na srednji do visoki hitrosti, dokler ne nastanejo trdi vrhovi; prenesite v majhno skledo in ohladite.
b) V očiščeni skledi stoječega mešalnika, opremljenega z očiščenim nastavkom za metlico, stepajte beljake na visoki hitrosti, dokler ne nastane mehak sneg. Dodajte 1 žlico sladkorja in stepajte, dokler se ne oblikujejo trdi vrhovi; prenesite v majhno skledo.
c) V očiščeni skledi stoječega mešalnika, opremljenega z očiščenim nastavkom za stepanje, na visoki hitrosti stepajte skupaj rumenjake in preostalo ⅓ skodelice sladkorja, dokler se ne zgosti in postane bledo rumena. Mascarpone, bučni pire, začimbe za bučno pito in tretjino stepene smetane nežno vmešamo v rumenjakovo zmes. Nežno vmešajte stepene beljake in ohladite.
d) Espresso dajte na plitek krožnik. Obe strani ženskih prstkov pomočite v espresso in jih razporedite v 9-palčni pekač za pito, da popolnoma poravnate dno. Na vrh dajte polovico bučne mešanice, še več v espresso namočene ladyfingers in preostalo bučno mešanico. Pito prelijemo s preostalo stepeno smetano in čokoladnimi ostružki. Hladite 8 ur ali celo noč, dokler ni pripravljen za serviranje.

# 81.  Pita s cimetovo žemljico

**SESTAVINE:**
- ½ porcije matičnega testa, vzhajanega
- 30 g moke, za posip [3 žlice]
- 80 g rjavega masla [¼ skodelice]
- 1 porcija tekočega sira
- 60 g svetlo rjavega sladkorja [¼ skodelice tesno pakirane]
- 1 g košer soli [¼ čajne žličke]
- 2 g mletega cimeta [1 čajna žlička]
- 1 porcija Cinnamon Streusel

**Navodila**

a) Pečico segrejte na 350°F.

b) Vzhajano testo preluknjamo in sploščimo.

c) Vzemite ščepec moke in ga stresite po površini gladkega suhega pulta, kot da bi preskočili kamen na vodo, da rahlo premažete pult. Vzemite še en ščepec moke in rahlo potresite valjar. Z valjarjem sploščite naluknjani krog testa, nato pa testo razvaljajte z valjarjem ali ga ročno raztegnite, kot da bi delali pico iz nič. Vaš končni cilj je ustvariti velik krog s premerom približno 11 palcev. Za referenco imejte svoj 10-palčni pekač za pito v bližini. 11-palčni krog testa mora biti debel ¼ do ½ palca.

d) Testo nežno položimo v pekač za pite. Izmenično uporabite prste in dlani, da trdno pritisnete testo na svoje mesto. Pekač za pito položimo na pekač.

e) S hrbtno stranjo žlice enakomerno porazdelite polovico rjavega masla po testu.

f) S hrbtno stranjo druge žlice (nočete rjavega masla v kremno beli plasti sirove torte!), da polovico tekoče sirove torte enakomerno porazdelite po rjavem maslu. Preostalo rjavo maslo v enakomerni plasti porazdelite po tekoči sirovi torti.

g) Na rjavo maslo potresemo rjavi sladkor. Potlačite ga s hrbtno stranjo dlani, da ostane na mestu. Nato enakomerno potresemo s soljo in cimetom.

h) Zdaj pa najzahtevnejša plast: preostali tekoči sirov kolač. Ostanite hladni in ga razmažite čim bolj nežno, da dosežete čim bolj enakomeren sloj.

i) Streusel enakomerno potresemo po vrhu torte s sirom. S hrbtno stranjo dlani pritrdite Streusel.

j) Pito pečemo 40 minut. Skorja se bo napihnila in porjavela, torta s tekočim sirom se bo strdila, preliv Streusel pa bo zahrustal in porjavel. Po 40 minutah ponev rahlo stresemo. Sredina pite mora biti rahlo majava. Nadev naj bo nameščen proti zunanjim robom modela za pite. Če je nekaj nadeva izbruhnilo na spodnji pekač, ne skrbite – imejte to za prigrizek za pozneje. Po potrebi pečemo še dodatnih 5 minut, dokler pita ne ustreza zgornjemu opisu.

k) Pito ohladimo na rešetki. Za shranjevanje pito popolnoma ohladite in dobro zavijte v plastično folijo. V hladilniku bo pita ostala sveža 3 dni (skorjica hitro postane zastarela); v zamrzovalniku bo zdržal 1 mesec.

l) Ko boste pito pripravljeni postreči, vedite, da je najboljša topla! Vsako rezino narežite in segrejte v mikrovalovni pečici 30 sekund ali pa celotno pito segrejte v pečici pri 250 °F za 10 do 20 minut, nato narežite in postrezite.

## 82.   Ovseni cimetov sladoled

Naredi približno 1 kvart

**SESTAVINE:**
- Prazna podlaga za sladoled
- 1 skodelica ovsa
- 1 žlica mletega cimeta

**NAVODILA:**
a)   Pripravite prazno podlago v skladu z navodili.
b)   V majhni ponvi na srednjem ognju zmešajte oves in cimet. Med rednim mešanjem pražimo 10 minut ali dokler ne porjavi in postane aromatično.
c)   Za precedek dodajte pražen cimet in oves v osnovo, ko pridejo s štedilnika, in pustite stati približno 30 minut. Uporaba mrežastega cedila, nameščenega nad skledo; precedite trdno snov in jo pretlačite, da dobite čim več kreme z okusom. Lahko pride malo pulpe ovsene kaše, a nič hudega – okusno je! Prihranite trdno snov ovsene kaše za recept za ovseno kašo!
d)   Zaradi absorpcije boste izgubili nekaj mešanice, zato bo izdelava tega sladoleda nekoliko manjša kot običajno.

e) Mešanico čez noč shranite v hladilniku. Ko ste pripravljeni na pripravo sladoleda, ga ponovno zmešajte s potopnim mešalnikom, da postane gladka in kremasta.

f) Vlijemo v aparat za sladoled in zamrznemo po navodilih proizvajalca. Shranjujte v nepredušni posodi in zamrznite čez noč.

## 83. Amaretto kokosova pita

Naredi: 1 - 9 inch veliko pito

**SESTAVINE:**

- ¼ skodelice masla; ali margarina, mehka
- 1 skodelica sladkorja
- 2 večji jajci
- ¾ skodelice mleka
- ¼ skodelice amaretta
- ¼ skodelice samovzhajajoče moke
- ⅔ skodelice kokosovih kosmičev

**NAVODILA:**

a) Stepite maslo in sladkor. hitrosti električnega mešalnika, dokler ni rahlo in puhasto. Dodajte jajca; dobro pretlačite.
b) Dodajte mleko, amaretto in moko ter dobro premešajte.
c) Vmešamo kokos. Mešanico vlijemo v rahlo pomaščen 9" krožnik za pite.

d) Pečemo pri 350°C 35 minut. ali dokler ni nastavljeno. Povsem ohladite na rešetki.

## 84. Amiška pita s kremno kremo

Naredi : 1 obrok

**SESTAVINE:**
- ⅓ skodelice sladkor
- 2 čajni žlički Moka
- ½ čajne žličke Sol
- 3 jajca
- 3 skodelice Mleko
- ¼ čajne žličke muškatni orešček
- 1 9- palčna nepečena lupina za pito

**NAVODILA:**
a) Zmešajte sladkor, moko, sol in jajca ter premešajte do gladkega. Mleko segrejemo do vrelišča.
b) Jajčni mešanici dodajte 1 skodelico vročega mleka. To vlijemo v preostalo vroče mleko.
c) Vlijemo v nepečeno pito. Po vrhu potresemo muškatni orešček. Pečemo pri 350 stopinjah F. 45-60 minut.

# WHOOPIE PITE

## 85.  Tiramisu Whoopie pite

Naredi: 6 obrokov

## SESTAVINE:
### PIŠKOTKI:
- 2 skodelici mandljeve moke
- 3 žlice sirotkinih beljakovin brez okusa
- ½ skodelice zrnatega sladila Monk Fruit
- 2 žlički pecilnega praška
- ½ čajne žličke sode bikarbone
- ½ čajne žličke soli
- ½ skodelice masla, narezanega na majhne kocke
- ½ skodelice nadomestka sladkorja z nizko vsebnostjo ogljikovih hidratov ali ½ skodelice vašega najljubšega sladila z nizko vsebnostjo ogljikovih hidratov
- 2 veliki jajci
- 1 čajna žlička vanilijevega ekstrakta
- ½ skodelice polnomastne kisle smetane
- kakav v prahu za posipanje

### POLNJENJE:
- ¼ skodelice hladne espresso kave ali močne kave
- 1 žlica temnega ruma po želji ali z dodatkom žgane pijače po vaši izbiri
- 8 unč sira mascarpone
- 2 žlici nadomestka sladkorja z nizko vsebnostjo ogljikovih hidratov
- ščepec soli
- ½ skodelice težke smetane
- 2 žlički vanilijevega ekstrakta
- 2 žlički temnega ruma po želji ali z dodatkom žgane pijače po vaši izbiri

## NAVODILA:
a) Pečico segrejte na 350 °F. Pekač za whoopie pito popršite s pršilom proti prijemanju.

b) V skledi zmešajte mandljevo moko, beljakovine v prahu, sladilo iz rjavega sladkorja, pecilni prašek, sodo bikarbono in sol. Dati na stran.

c) Stepite maslo in sladkor z mešalnikom na srednji do visoki hitrosti, dokler ne postane kremasto; približno 2 minuti. Dodajte jajca in 1 čajno žličko vanilije ter stepajte, dokler se mešanica ne premeša. Postrgajte po stenah sklede. Dodajte kislo smetano, nato pa zmes posušite.

d) Z majhno čajno žličko zajemajte testo v vsak modelček za whoopie pito, tako da zapolnite približno ⅔ prostora. Nekaj kakava v prahu dajte v majhno cedilo in na vrh vsake merice testa potresite malo kakava v prahu.

e) Pecite, dokler robovi niso zlati, približno 10-12 minut.

f) Ohladite na rešetki približno 10 minut, nato odstranite piškote iz pekača in pustite, da se ohladijo.

g) Ko se ohladijo, piškote obrnite na rešetko.

h) V majhni skledi zmešajte espresso in 3 žlice temnega ruma. Na spodnjo stran vsakega piškota namažite približno ¼ čajne žličke espresso tekočine.

i) Mascarpone sir, nadomestek sladkorja z nizko vsebnostjo ogljikovih hidratov, sol, vanilijevo smetano in 1 T. temnega ruma stepemo z mešalnikom do gladkega. Na čokoladno polovico piškotov z žlico nanesite nekaj mešanice mascarpone sira. Na vrh položite drugo polovico piškotov.

j) Postrezite takoj ali postavite v hladilnik.

## 86. Whoopie pita iz melase

Naredi: 1 obrok

**SESTAVINE:**
- 2 jajci
- 2 skodelici rjavega sladkorja
- 1 skodelica melase
- 1 skodelica margarine
- 1½ skodelice sladkega mleka
- 4 čajne žličke sode bikarbone
- ½ čajne žličke ingverja
- ½ čajne žličke cimeta
- ½ čajne žličke nageljnovih žbic
- 5 skodelic moke
- 2 beljaka
- 2 žlički vanilije
- 4 žlice moke
- 2 žlici mleka
- 1½ skodelice rastlinskega olja
- 1 funt 10 x sladkor

**NAVODILA:**
a) Smetana, sladkor in jajca. Dodamo melaso, mleko in suhe sestavine.
b) Po žlicah polagamo na pekač. Pečemo 350 8-10 minut. NADEV: Iz beljakov stepemo čvrst sneg.
c) Dodamo vanilijo, moko in mleko. Dobro stepemo in dodamo mast in sladkor.
d) Ko se piškot ohladi, na dva namažemo nadev in sestavimo.

## 87.   Whoopie pita iz ovsenih kosmičev

Naredi: 1 obrok

**SESTAVINE:**
- 2 skodelici rjavega sladkorja
- ¾ skodelice Skrajšanje
- 2 jajci
- ½ čajne žličke soli
- 1 čajna žlička cimeta
- 1 čajna žlička pecilnega praška
- 1 čajna žlička sode bikarbone
- 3 žlice vrele vode
- 2½ skodelice moke
- 2 skodelici ovsenih kosmičev
- 2 stepena beljaka
- 2 žlički vanilije
- 4 žlice moke
- 2 žlici 10X sladkorja
- 4 žlice mleka
- 1½ skodelice Crisco strjenega masti
- 4 skodelice 10X sladkorja

**NAVODILA:**
a) Kremni rjavi sladkor in mast. Dodamo jajca in stepemo. Dodamo sol, cimet in pecilni prašek. Sodo bikarbono raztopite v vreli vodi in dodajte mešanici. Dodamo moko in ovsene kosmiče. Z žlico naložite na pomaščen pekač za piškote in pecite 8 do 10 minut pri 350 stopinjah. Povsem ohladite.
b) Napolnite s spodnjim polnilom. Naredite sendvič piškote. Beljake stepemo, dodamo vanilijo, 4 žlice moke, 2 žlici 10X sladkorja in mleko.
c) Dodajte mast in dobro premešajte. Dodajte 4 skodelice 10X sladkorja in ponovno stepite.
d) Naredi sendviče.

# POT-PITE

## 88. Gobova in telečja pita v lončku

Naredi: 4 porcije

**SESTAVINE:**
- 1 funt dušene teletine
- 3 žlice večnamenske moke
- ¼ čajne žličke soli
- ½ čajne žličke popra
- 1 žlica rastlinskega olja
- 1 čebula, sesekljana
- 1 strok česna, mlet
- 2 korenčka, sesekljana
- 3 skodelice narezanih gob
- ½ čajne žličke posušenega žajblja
- 2 skodelici goveje juhe
- 2 žlici suhega vermuta [optl]
- 1 žlica paradižnikove paste
- 1 čajna žlička Worcestershire omake
- 1 skodelica zamrznjenega graha
- 1¼ skodelice večnamenske moke
- 1 žlica svežega peteršilja, sesekljanega
- 2 žlički pecilnega praška
- ¾ čajne žličke sode bikarbone
- ščepec soli
- ščepec popra
- 3 žlice masla, hladno
- ¾ skodelice navadnega nemastnega jogurta

**NAVODILA:**
a) Trim telečje meso; narežemo na grižljaje. V plastični vrečki zmešajte moko s soljo in polovico popra. telečje meso stresite v mešanico moke, po potrebi v serijah.
b) V veliki, globoki ponvi proti prijemanju segrejte polovico olja na srednje visoki vročini; rjavo meso v serijah in po potrebi dodajte preostalo olje. Prenos na ploščo; dati na stran.

c) V ponev premešajte čebulo, česen, korenje, gobe, žajbelj in 1 žlico vode; med mešanjem kuhajte približno 7 minut ali dokler ne porjavi in vlaga ne izhlapi.

d) Vmešajte ⅔ skodelice vode, osnovo, vermut, paradižnikovo mezgo, Worcestershire, preostali poper in rezervirano meso. zavremo; zmanjšajte ogenj in pokrito pustite vreti, občasno premešajte 1 uro.

e) Odkriti; kuhamo približno 15 minut oziroma dokler se meso ne zmehča in se omaka zgosti. Vmešajte grah; ohladimo. Vlijemo v 8-palčni kvadratni pekač.

f) Lahek preliv za piškote: V veliki skledi zmešajte moko, peteršilj, pecilni prašek, sodo bikarbono, sol in poper; narežemo na maslo, dokler zmes ne postane podobna grobim drobtinam. Dodajte jogurt naenkrat; z vilicami premešamo, da dobimo mehko, rahlo lepljivo testo.

g) Na rahlo pomokani površini nežno pregnetite testo 8-krat ali dokler ni gladko.

h) Nežno razvaljajte testo na 8-palčni kvadrat. Razrežemo na 16 enakih kvadratov. Položite čez telečjo mešanico v 4 vrstah.

i) Pecite v pečici pri 450F in 230C 25-30 minut ali dokler ne postanejo mehurčki, skorja zlatorjava in piškoti pečeni pod njo, ko jih nežno dvignete.

j) Postrezite s sotiranimi bučkami.

## 89. Cheddar piščančja pita

Naredi: 6 obrokov

**SESTAVINE:**
**SKORJA**
- 1 skodelica mešanice za peko z nizko vsebnostjo maščob
- ¼ skodelice vode

**POLNJENJE**
- 1½ skodelice piščančje juhe
- 2 skodelici krompirja, olupljenega in
- Na kocke
- 1 skodelica narezanega korenja
- ½ skodelice narezane zelene
- ½ skodelice čebule, sesekljane
- ½ skodelice paprike, sesekljane
- ¼ skodelice nebeljene moke
- 1½ skodelice posnetega mleka
- 2 skodelici sira cheddar brez maščobe - nariban
- 4 skodelice piščanca, svetlo meso brez kože
- Kuhano in narezano na kocke
- ¼ čajne žličke začimb za perutnino

**NAVODILA:**
a) Pečico segrejte na 425. Za pripravo skorje zmešajte 1 skodelico mešanice za peko in vodo, dokler ne nastane mehko testo; močno stepajte. Na pomokani površini nežno zgladite testo v kepo. Pregnetite 5-krat. Sledite navodilom za skorjo. Za pripravo nadeva segrejte juho v ponvi.
b) Dodajte krompir, korenje, zeleno, čebulo in papriko. Kuhajte 15 minut ali dokler se vse ne zmehča. Zmešajte moko z mlekom. Vmešajte v mešanico juhe. Kuhajte in mešajte na zmernem ognju, dokler se rahlo ne zgosti. Vmešajte sir, piščanca in začimbe za perutnino. Segrevajte, dokler se sir ne stopi. Položite v 2-litrski pekač. Položite skorjo čez nadev v enolončnico. Tesni robove. V skorji naredite zareze za paro.
c) Pečemo 40 minut ali do zlato rjave barve.

## 90.  Kmečka svinjska pita

Naredi: 6 obrokov

**SESTAVINE:**

- 2 čebuli, veliki, sesekljani
- 2 korenčka, velika, narezana
- 1 zeljna glava, majhna, sesekljana
- 3 skodelice svinjine, kuhane, narezane na kocke
- Sol po okusu
- 1 pecivo za 9-palčno pito
- ¼ skodelice masla ali margarine
- 2 velika krompirja, narezana na kocke
- 1 pločevinka piščančje juhe (14oz)
- 1 žlica aromatične grenčice Angostura
- Beli poper po okusu
- 2 žlički kuminih semen

**NAVODILA:**

a) 1. Na maslu prepražimo čebulo do zlate barve. 2. Dodajte korenje, krompir, zelje, juho, svinjino in grenčico; pokrijte in kuhajte, dokler se zelje ne zmehča, približno 30 minut.

b) 3. Po okusu začinite s soljo in belim poprom. 4. Pripravite pecivo in dodajte semena kumine. 5. Testo razvaljajte na rahlo pomokani deski na ⅛-palčno debelino; izrežite šest 6-palčnih krogov na vrhu šestih 5-palčnih pekačev za pite. 6. Nadev enakomerno razdelite med pekače za pite; vrh s skorjo, tako da pecivo visi ½ palca čez stranice ponve. 7. Na sredino vsake pite zarežite križ; povlecite konice peciva nazaj, da odprete vrhove pite.

c) Pečemo v predhodno ogreti 400'F. pečici 30 do 35 minut ali dokler skorja ni rjava in je nadev mehurčkast.

## 91. Jastogova pita

Naredi: 6 obrokov

**SESTAVINE:**

- 6 žlic masla
- 1 skodelica sesekljane čebule
- ½ skodelice sesekljane zelene
- sol; okusiti
- Sveže mleti beli poper; okusiti
- 6 žlic moke
- 3 skodelice morske ali piščančje juhe
- 1 skodelica mleka
- 2 skodelici narezanega krompirja; blanširano
- 1 skodelica narezanega korenja; blanširano
- 1 skodelica sladkega graha
- 1 skodelica narezane pečene šunke
- 1 funt mesa jastoga; kuhano, narezano na kocke
- ½ skodelice vode -; (na 1 skodelico)
- ½ recepta Osnovna slana skorja za pito
- Razvaljamo na velikost pekača

**NAVODILA:**

a) Pečico segrejte na 375 stopinj. Pravokoten steklen pekač namastimo. V veliki ponvi stopite maslo. Dodamo čebulo in zeleno ter pražimo 2 minuti.

b) Začinimo s soljo in poprom. Vmešajte moko in kuhajte približno 3 do 4 minute za blond roux.

c) Primešajte juho in tekočino zavrite. Zmanjšajte do vrenja in nadaljujte s kuhanjem 8 do 10 minut ali dokler se omaka ne začne gostiti. Vmešajte mleko in nadaljujte s kuhanjem 4 minute.

d) Začinimo s soljo in poprom. Odstranite z ognja. Primešajte krompir, korenje, grah, šunko in jastoga. Začinimo s soljo in poprom. Nadev temeljito premešamo. Če je nadev pregost, dodamo malo vode, da se nadev razredči.

e) Nadev vlijemo v pripravljen pekač. Na nadev položimo skorjo.

f) Prekrivajočo se skorjo previdno potisnite v pekač in oblikujte debel rob. Robove pekača zavihajte in položite na pekač.
g) Z ostrim nožem naredite več zarez na vrhu skorje. Posodo postavimo v pečico in pečemo približno 25 do 30 minut oziroma dokler skorja ni zlato rjava in hrustljava.
h) Odstranite iz pečice in ohladite 5 minut, preden postrežete.

## 92.  Pita z zrezki

Naredi: 4 porcije

**SESTAVINE:**
- 1 skodelica sesekljane čebule
- 2 žlici margarine
- 3 žlice večnamenske moke
- 1½ skodelice goveje juhe
- ½ skodelice A 1 Original ali A.1 Bold & Spicy omake za zrezke
- 3 skodelice kuhanega zrezka v kockah (približno
- 1 1/2 funta)
- 1 16 oz. pakiranje zamrznjena mešanica brokolija, cvetače in korenja
- Pripravite pecivo za 1 skorjo pito
- 1 jajce, pretepeno

**NAVODILA:**
a) V 2-litrski ponvi na srednje močnem ognju kuhajte čebulo na margarini, dokler se ne zmehča.
b) Vmešajte moko; kuhajte še 1 minuto. Dodajte juho in omako za zrezke; kuhajte in mešajte, dokler se mešanica ne zgosti in začne vreti. Vmešajte zrezek in zelenjavo. Mešanico nalijte v 8-palčni kvadratni stekleni pekač.
c) Testo razvaljamo in odrežemo, da se prilega krožniku. Zaprite skorjo na rob posode; premažite z jajcem. Zarežite vrh skorje, da odzračite.
d) Pečemo pri 400øF 25 minut ali dokler skorja ni zlato rjava.
e) Postrezite takoj. Okrasite po želji.

## 93.  Azijska pita s piščancem

Naredi: 1 obrok

**SESTAVINE:**
- 4 6 unč piščančjih prsi brez kosti in kože
- ½ čajne žličke kitajskega črnega kisa
- 1 glava brokolija
- ½ funta vodnega kostanja
- 1 velik korenček
- 1 steblo zelene
- 1 majhen Bokchoy
- 2 žlici olivnega olja
- 2 žlici koruznega škroba
- ½ čajne žličke 5 kitajskih začimb
- Sol in poper po okusu
- 3 stroki česna, sesekljani
- 2 žlici sesekljane čebule
- 1 čajna žlička sesekljanega ingverja
- 1 skodelica piščančje juhe
- 8 listov filo testa
- 2 žlici stopljenega masla
- 1 žlica sesekljanega kitajskega drobnjaka
- 4 večje vejice rožmarina

**NAVODILA:**
a) Piščanca narežite na 2-palčne trakove. Vso zelenjavo narežite na 2-palčne trakove in blanširajte. V veliki ponvi na močnem ognju prepražite piščančje trakove s kisom. Dodajte koruzni škrob. Začinite s 5 začimbami v prahu, soljo in poprom. Dodajte česen, čebulo in ingver. Mešajte 5 do 6 minut. Dodajte piščančjo osnovo in zelenjavo. Kuhajte 8 do 10 minut. Preverite začimbe.

b) Ohladite se. Položite štiri ½-palčne liste filo testa, med listi premažite z maslom in položite v štiripalčni model za pite. Postopek ponovimo za štiri ponve. Piščančjo mešanico enakomerno razdelite na vsako posodo. Dodamo drobnjak.

Zložite vogale v sredino. Pečemo v pečici pri 400 stopinjah 12 minut.

c) Takoj prenesite na servirne krožnike in okrasite z vejicami rožmarina.

# MLETE PITE

## 94. Baileys pite iz mletega mesa

Naredi: 9-12 pit

**SESTAVINE:**
- 200 g navadne moke, plus dodatek za posip
- 100 g masla, ohlajenega in narezanega na kocke
- 1 čajna žlička sladkorja v prahu
- 1 srednje jajce iz proste reje, rahlo stepeno
- 1 žlica Baileys Original
- 250 g kakovostnega mletega mesa
- 2 žlici mleka za ščetkanje

**ZA MASLO BAILEYS**
- 75 g masla, zmehčanega
- 75 g sladkorja v prahu, plus dodatek za posipanje
- 2 žlici Baileys Original

**NAVODILA:**
a) V večjo skledo stresemo moko in dodamo ohlajene kocke masla. S konicami prstov vtrite maslo v moko, dokler zmes ne spominja na drobtine. Vmešajte sladkor, nato dodajte jajce in na hitro zmešajte zmes v mehko testo. Če se zdi suho, dodajte kanček hladne vode. Pecivo zavijemo v prozorno folijo in ohladimo 30 minut..

b) Pečico segrejte na 180°C ventilator/plin 6. Baileys vmešajte v mleto meso in ga odstavite.

c) Na rahlo pomokani površini razvaljajte testo in izrežite 9-12 krogov, ki so dovolj veliki, da lahko obložite luknje v pekaču. Z majhno kroglico rezervnega peciva jih nežno potisnite navzdol v luknje. Iz preostalega testa izrežemo 9-12 manjših krogov, zvezdic ali prazničnih oblik za pokrove.

d) V vsako pito položite približno žlico mletega mesa. Spodnje robove vsakega pokrova namažite z malo mleka in pokrove položite na pite. Robove testa stisnite skupaj, da jih slepite. Vrh vsake pite premažite z malo več mleka, nato pa z majhnim ostrim nožem zarežite X na vrhu vsake od zaprtih mletih pit, da omogočite uhajanje morebitne pare.

e) Pečemo pite iz mletega mesa v pečici 15-20 minut do zlate barve. Pustite jih 5 minut, da se ohladijo v modelu, preden jih previdno odstranite na rešetko, da se popolnoma ohladijo.

f) Za maslo Baileys stepite 75 g masla, dokler ni mehko in gladko, dodajte sladkor v prahu in Baileys ter ponovno stepite. Mlete pite potresemo s sladkorjem v prahu in postrežemo s kremastim maslom Baileys.

## 95. Jabolčno-mleta pita

Naredi: 1 obrok

**SESTAVINE:**
- 19-palčna lupina pite, nepečena
- ¼ skodelice večnamenske moke
- ⅓ skodelice sladkorja
- ⅛ čajne žličke soli
- 1 žlica margarine ali masla
- ¼ skodelice vode
- 2 žlici rdečih cimetovih bonbonov
- 2 kozarca (9 oz) pripravljenega mletega mesa
- 3 jabolka, kolač

**NAVODILA:**
a) Pripravite lupino za pito. Pečico segrejte na 425 F. Potresite 2 žlici moke v krožnik za pito, obložen s pecivom. Zmešajte preostalo moko, sladkor, sol in margarino, da postanejo drobtine. Segrejte vodo in cimetove bonbone ter mešajte, dokler se bonboni ne raztopijo. Na pecivo razporedite mleto meso.

b) Jabolka olupimo in narežemo na četrtine; narežemo na rezine, debele ½ palca na zunanji strani. Mleto meso pokrijte z 2 krogoma prekrivajočih se jabolčnih rezin; potresemo s sladkorno mešanico. Po vrhu nalijte cimetov sirup in navlažite čim več sladkorne mešanice.

c) Pokrijte rob z 2- do 3-palčnim trakom aluminijaste folije, da preprečite pretirano porjavitev; v zadnjih 15 minutah peke odstranite folijo. Pecite, dokler skorja ni zlato rjava, 40 do 50 minut.

## 96. Jabolčna mleta pita streusel

Naredi: 1 pito

**SESTAVINE:**
- 1 lupina nepečenega peciva; 9-palčni
- 3 jabolka; olupljen, narezan na tanke rezine
- ½ skodelice moke; nepresejano
- 3 žlice moke; nepresejano
- 2 žlici margarine; ali maslo, stopljeno
- 1 kozarec Ni takega mletega mesa, pripravljenega za uporabo
- ¼ skodelice rjavega sladkorja; trdno zapakirano
- 1 čajna žlička mletega cimeta
- ⅓ skodelice margarine; ali maslo, hladno
- ¼ skodelice orehov; sesekljan

**NAVODILA:**
a) V veliki skledi premešajte jabolka s 3 žlicami moke in stopljeno margarino; razporedite v pecivo. Vrh z mletim mesom. V srednji skledi zmešajte preostalo ½ skodelice moke, sladkor in cimet; na mrzlo margarino narežemo na drobtine. Dodajte oreščke; potresemo po mletem mesu.
b) Pečemo v spodnji polovici pečice 425 10 minut. Zmanjšajte temperaturo pečice na 375; pečemo 25 minut dlje ali do zlate barve. Kul.

## 97. Brusnična mleta pita

Naredi: 6 obrokov

**SESTAVINE:**

- ⅔ skodelice sladkorja
- 2 žlici koruznega škroba
- ⅔ skodelice vode
- 1½ skodelice svežih brusnic, opranih
- 1 x pecivo za pito z 2 skorjama
- 1 kozarec pripravljenega mletega mesa
- 1 vsak jajčni rumenjak, zmešan z 2 T. vode

**NAVODILA:**

a) V ponvi zmešajte sladkor in koruzni škrob; dodajte vodo. Na močnem ognju kuhajte in mešajte, dokler ne zavre. Dodajte brusnice; zavrite. Zmanjšajte ogenj; kuhajte 5 do 10 minut in občasno premešajte.

b) Mleto meso spremenite v pecivo, obložen 9 ali 10" krožnik za pito. Na vrh potresite brusnice.

c) Pokrijte z zgornjo skorjo z odzračevanjem; zaprite in naribajte. S čopičem premažite skorjo z jajčno mešanico.

d) Pecite pri 425 stopinjah v spodnji polovici pečice 30 minut ali do zlato rjave barve. Ohladite. Okrasite z Egg Nog.

e) Dodamo ½ litra stepene smetane, stepeno. Ohladimo.

## 98. Mleta pita z limoninim vrhom

Naredi: 1 obrok

**SESTAVINE:**
- 1 skodelica Pillsbury's Best večnamenske moke, presejana
- ½ čajne žličke soli
- ⅓ skodelice Skrajšanje
- 3 žlice hladne vode
- 9 unč Pkg suhega mletega mesa; razbit na koščke
- 2 žlici sladkorja
- 1 skodelica vode
- 2 žlici Funstenovih orehov; sesekljan
- 2 žlici masla
- ⅔ skodelice sladkorja
- 2 žlici moke
- 2 rumenjaka
- 1 žlica naribane limonine lupinice
- 2 žlici limoninega soka
- ¾ skodelice mleka
- 2 beljaka

**NAVODILA:**
a) V skledo za mešanje presejte Pillsbury's Best večnamensko moko in sol.
b) Narežite maso, dokler delci niso veliki kot grah. Mešanico poškropite s 3 do 4 žlicami hladne vode, medtem ko z vilicami rahlo mešate.
c) Najbolj suhim delcem dodajte vodo in grudice potisnite na stran, dokler ni testo dovolj vlažno, da se drži skupaj. Oblikujte v kroglo.
d) Sploščite na debelino ½ palca; gladki robovi. Na pomokani površini razvaljajte krog, ki je 1½ palca večji od obrnjene 9-palčne ponve. Ohlapno vstavite v piepan.
e) Zložite rob, da oblikujete stoječi rob; flavta. Ne pečemo. Nadev iz mletega mesa: V majhni kozici zmešajte suho mleto meso (po

želji lahko 2 skodelici pripravljenega mletega mesa nadomestite suho mešanico mletega mesa), sladkor in vodo.

f) Zavremo; vreti 1 minuto. Kul. Vmešajte 2 žlici sesekljanih orehov. Preložite v s testom obložen pekač. Mleto meso prelijemo s prelivom.

g) Pečemo v zmerni pečici (350 stopinj) 45 do 50 minut. Kul. Limonin preliv: Zmešajte maslo, sladkor in moko; dobro premešaj.

h) Vmešajte rumenjake. Vmešajte naribano limonino lupinico, limonin sok in ¾ skodelice mleka. Beljake stepamo do mehkih vrhov; nežno vmešajte v mešanico.

## 99. Sadovnjaška pita

Naredi: 8 obrokov

**SESTAVINE:**
19-palčna skorja za pito; nepečen
2 skodelici srednjih jabolk; olupljen in drobno sesekljan
1 skodelica pripravljenega mletega mesa
¾ skodelice svetle smetane
¾ skodelice rjavega sladkorja; zapakirano
¼ žlice soli
½ skodelice sesekljanih orehov

**NAVODILA:**
a)  V veliki skledi za mešanje zmešajte jabolka, mleto meso,
    smetano, rjavi sladkor in sol. Dobro premešajte.
b)  Nalijte v nepečeno lupino pite; potresemo z orehi.
c)  Pečemo pri 375° 40 do 50 minut, dokler skorja ni zlato rjava.

# 100. Mleta pita s kislo smetano

Naredi: 10 obrokov

**SESTAVINE:**
- 1 9-v lupini peciva; nepečen
- 1 paket (9 oz) kondenziranega mletega mesa; razpadla
- 1 skodelica jabolčnega soka ali vode
- 1 srednje jabolko; stržen, olupljen, sesekljan
- 1 žlica moke
- 2 skodelici kisle smetane
- 2 jajci
- 2 žlici sladkorja
- 1 čajna žlička vanilije
- 3 žlice orehov; sesekljan

**NAVODILA:**
a) Pečico segrejte na 425°. V majhni ponvi zmešajte mleto meso in jabolčni sok.
b) Zavremo; hitro kuhajte 1 minuto. V srednji skledi premešajte moko v jabolka za premaz; vmešajte mleto meso. Vlijemo v pecivo. Pečemo 15 minut.
c) Medtem v majhni skledi mešalnika zmešajte kislo smetano, jajca, sladkor in vanilijo; stepajte do gladkega. Enakomerno prelijemo po mešanici mletega mesa. Potresemo z oreščki. Vrnite se v pečico; pecite 8 do 10 minut dlje, dokler ni strjeno. Kul.
d) Dobro ohladite. Okrasite po želji. Ostanke ohladite.

# ZAKLJUČEK

Pita je vedno dobra ideja, sploh med prazniki! Zahvalni meniji in božične sladice so vedno polni sezonskih pit, kot so bučne in brusnično-pomarančne. Toda obstajajo tudi druge priložnosti, ki so vredne pite. Kot poletna kuharica, kjer sta ključna limetina pita in jagodna pita osupljive sladice v toplem vremenu. Še enkrat, za pripravo domače pite ne potrebujete razloga. Preprosto vstavite skorjo za pito v zamrzovalnik in pripravite lahko katerega koli od teh receptov za pito, kadar koli vas zagrabi želja! Na primer, morda boste želeli pripraviti čokoladno pito za nedeljsko večerjo. Ali pa pripravite ploščice za pito z orehi za svojo jed.